MORE GERMAN

The successor to *Teach Yourself German*, this book is intended for those who already possess a working knowledge of German and wish to take their studies of the language a stage further. Its aim is to widen the student's vocabulary, to increase his command of conversational and commercial usage, and, in particular, to introduce him to the wealth of German literature.

TEACH YOURSELF BOOKS

A valuable successor to *Teach Yourself German*, carrying the student quite a long way in his study of the German language. Extracts, poetry and prose add pleasure to the reader's task in thirty lessons and serve as an introduction to an extensive and rewarding literature.

The Times Educational Supplement

MORE GERMAN

Sydney W. Wells, B.A.

TEACH YOURSELF BOOKS

Hodder and Stoughton

First printed   *1946*
New Edition   *1956*
This impression   *1978*

This volume is published in the U.S.A. by David McKay
Company Inc., 750 Third Avenue, New York, N.Y. 10017.

ISBN 0 340 05808 0

Printed in Great Britain for
Hodder and Stoughton Paperbacks,
a division of Hodder and Stoughton Ltd.,
Mill Road, Dunton Green, Sevenoaks, Kent.
(Editorial Office: 47 Bedford Square, London, WC1 3DP)
by J. W. Arrowsmith Ltd., Bristol

FOREWORD

IF the predecessor of this book, *Teach Yourself German*, has been worked through conscientiously, the student will have acquired a solid foundation upon which to build.

Teach Yourself More German is more ambitious and is a great step forward in the study of the German language. It has been compiled with a view to providing the student with an insight into the wealth of literature which the German language possesses. The extracts contained in this book, both Poetry and Prose, cannot, of course, cover the entire field, but the selections chosen are as varied as is possible. The student may not find them too easy, but he should not be discouraged. By careful and intelligent use of the key provided, he will derive great benefit from the literary section and, above all, he will discover that his vocabulary will be very greatly enriched.

One word of advice. For the student with no special facilities, the habit of reading the German passages aloud cannot be too strongly recommended.

In order to keep the size of the book within reasonable limits, it has been found necessary to omit a few passages from the Key. These include the translations of the correspondence after Lesson VI. We felt that the student at this stage could easily understand them without help.

CONTENTS

CONTENTS

CONTENTS

LESSON I

Conversation

Im Büro

(PETER HAMILTONS *Privatsekretärin sitzt an ihrem Pult und sortiert die Post. Im benachbarten Zimmer tippen Stenotypistinnen wie toll. Die Tür tut sich auf und* HAMILTON *tritt strahlend ein.*)

P. H.   Guten Morgen, Fräulein Fish.   Ist etwas Gutes mit der Post angekommen ?

FRL. FISH.   Nichts Besonderes, ausser einer letzten Steuermahnung.

P. H.   Zum Henker mit solchen Kleinigkeiten !

FRL. FISH.   So eine Kleinigkeit ist es doch nicht.

P. H.   Nun, vielleicht sollte ich eigentlich einen Scheck ausstellen.   Auf wieviel beläuft sich die Steuer, Fräulein Fish?

(*Er geht zu seinem Rollpult, schliesst es auf und nimmt ein Scheckbuch aus einer Schublade heraus.*)   Nun, Fräulein Fish, wieviel Blut wollen sie mir diesmal aussaugen ?

FRL. FISH.   Siebenundsiebzig Pfund sechzehn Schillinge.

P. H.   Pfui Teufel !   Diese Räuber !   (*Schreibt.*)   Na, ich las heute morgen in der Zeitung mein Horoskop—der Sterndeuter sagte, dass Glück und Unglück wechseln—ich habe soeben erfahren, dass Pegasus das 2.30-Rennen (zwei Uhr dreissig) um eine Nasenlänge gewonnen hat.   Ich setzte zehn Pfund darauf und bekam dafür rund zweihundert Pfund.   Schade um die Aurora — das war ein kolossaler Reinfall.   Jemand sagte mir — ich hatte es aus sehr guter Hand — dass es eine totsichere Sache wäre, und die Schindmähre kam als vorletzte an.   O, da fällt mir ein — ich muss meinen Bruder anrufen.

FRL. FISH.   Soll ich Sie verbinden ?

P. H.   Nee, nee, das hab' ich fein 'raus.   (*Er hebt den Hörer ab und wählt eine Nummer.   Buchstabiert halblaut vor sich hin, indem er den Wähler umdreht.*)   T – E – M — zwei — Null — eins — zwei.   (*Er wartet.*)   Haben Sie Telefonanschluss zu Hause, Fräulein Fish — Ach, verflucht nochmal !   Leitung besetzt.   (*Hängt an.*)

I

FRL. FISH.   Vielleicht waren Sie falsch verbunden ?

P. H.   Unsinn.   Dieses Wähler-System ist kinderleicht, ausserdem bin ich stolz auf meine — (*Telefon läutet. Er hebt den Hörer ab.*)   Hier Peter Hamilton.   Was ?   Allewetter !   Weisst du was, Andrew, ich habe dich soeben angerufen, aber die Leitung war besetzt.   Wie ?   Niemand war am Apparat ?   Muss also eine Störung gewesen sein. — Wie ?   (*Mit einem Seitenblick auf* FRL. FISH.)   Na, sprechen wir lieber nicht mehr davon. — Was ? — Ja, ja. — Nein. — Kann sein. — Wirklich ? — Du liebe Zeit ! — Ja, ja, bleibe bitte am Apparat, ich hole sie aus dem Safe. — Wie ? — Nee, nee, der ist sowieso böse auf mich !   Aber einen Moment, bitte, ich gebe Dir die Nummern sofort an.   (*Legt den Hörer auf das Pult hin und geht zum Geldschrank.*)   Sagen Sie den Mädels, Fräulein Fish, sie sollen ein bisschen aufhören mit dem Tippen — ich kann mein eigenes Wort nicht verstehen.

Idiomatic Phrases

Dabei kann einem übel werden, wie sie da sitzen und fachsimpeln.   *It's enough to make one sick the way they sit there talking shop.*

Wir haben es alle herzlich satt.   *We are all thoroughly sick of it.*

Er hat mir sein Herz ausgeschüttet.   *He has unburdened himself to me.*

Wie kannst du dich mit so einem leichtfertigen Frauenzimmer herumtreiben ?   *How can you go about with such a wanton hussy ?*

Ich muss gute Miene zum bösen Spiel machen.   *I shall have to put a bold front on it.*

Exercise

At the Office

Mr. Miller goes every day to the office.   He catches the 9 o'clock train to Waterloo, shows his season-ticket at the barrier and goes down the moving stairs to travel by tube to the City.   He finds the office clean and tidy, as it has been swept and dusted by the charwoman.

The office is on the fourth floor and electric light is installed in all rooms. Mr. Miller is employed by the firm of Rudolf Ulmenbach, Ltd. He is now the managing director, having been the chief book-keeper for 12 years. He sits on a swivel-chair before his roll-top desk and looks through the morning mail. At another desk in an adjoining room sits his secretary. Mr. Miller presses a bell, his secretary enters. He dictates a few letters which she takes down in shorthand, afterwards typing them out (with carbon copies) for him to sign. All letters, bills, receipts, etc., are filed in alphabetical order. On Mr. Miller's desk there are pigeon-holes for letter-paper, envelopes, cards and office requisites of all kinds.

On the desk is a telephone, an extension of the main line which is directed from a switch-board in another part of the building. When Mr. Miller wishes to ring up somebody he lifts the receiver and requests the girl at the switch-board to get him the necessary connection. She does this by calling the exchange or by dialling the required number.

Mr. Miller prefers to work overtime at the office, as in this way he avoids the rush-hours on the trains. He usually gets home a little before seven in the evening.

Extract

(a) Aus „ Von Rechts nach Links "

Von Genf wandte ich meine Schritte weiter nach Strassburg. Ich hoffte dort Gelegenheit zum Französischsprechen zu finden. Mein Vater billigte meinen Wunsch aus dem genau entgegengesetzten Motiv : er hielt es für Pflicht der Altdeutschen, den sehr schwachen Besuch der von den Elsässern beinah restlos boykottierten Universität zu stärken.

Wohnung fand ich dicht am Münster bei einem alten Frauchen, die sich als Marketenderin aus dem Krimkrieg entpuppte. Ihr Herz war französisch geblieben, ihre Sprache ein deutsch-französisches Missverständnis geworden. Trotzdem waren ihre Kriegsgeschichten aus der Marketenderin-Perspektive für mich ein reiner Genuss — nur übertroffen durch den Genuss der von ihr gebratenen Froschschenkel. Zu denen lud sie mich nämlich einmal

wöchentlich ein, nachdem sie festgestellt hatte, dass der
,, Boche '' für französische Delikatessen zwar eine Zunge,
aber nicht das Geld hatte, um ihr bei Valentin zu huldigen.
Geniesserisch knabberte ich die zarten gelben Stängelchen
in dem köstlich panierten Teig.

Das Bürgertum Strassburgs war damals bis auf die
Knochen protestlerisch gesinnt. Unter sich sprachen die
Leute meist in dem Elsässer Dialekt. Sowie aber ein Alt-
deutscher am Horizont auftauchte, ging das Französische
los. Die deutschen Offiziere und Beamten waren gesell-
schaftlich ganz isoliert. Nicht einen Augenblick hatte
ich das Gefühl, in Deutschland zu sein. Es war erobertes
Land, weiter nichts.

Noch deutlicher als in Strassburg selbst empfand ich
das, wenn ich nach Pfalzburg (Lothringen) kam, wo mein
Vetter Strahl als Hauptmann in Garnison stand. Zwei
Völker lebten da miteinander, räumlich vereint, geistig
geschieden : Eindringlinge und Einwohner. Die klügeren
Offiziere empfanden das mit Schmerz. ,, Uns ist, als wäre
ein Pestkordon um uns gezogen,'' klagte mir einmal einer.

(b) Aus dem Epilog : ,, Der Emigrant ''

Mit dem politischen Aufstieg Hitlers war die Demokratie
zu Ende, zumindest in ihrer alten Form, der Schimmer
humanistischer Gedanken verblichen : das Auto war da,
das heisst der erste Faschist, und nur Wenige bemerkten,
dass das Tempo in Rom und Moskau das gleiche war.
Gerlach war der letzte deutsche Demokrat. Im achten
Jahrzehnte seines Lebens wäre sein Ruf allmählich ver-
klungen.

Hitler war es allein, dem er zuletzt einen neuen Auf-
schwung verdankte. Wie Tausende von Juden erst durch
ihn zum vollen Selbstgefühl aufgerufen wurden, ähnlich
haben sich auch ein paar tausend deutscher Politiker an
diesem neuen, körperlichen Widerstande verjüngt. Im
Januar 33 hatte Gerlach in Frankreich für Verständigung
gesprochen, den Vertrag von Versailles getadelt, wie er's
seit 13 Jahren dort getan, die Franzosen aufgefordert, das
deutsche Saarland ohne Abstimmung herauszugeben, ja
sogar eine soldatenlose Zone links vom Rhein in Frankreich zu errichten ! Da er aber zugleich die deutsche

Abrüstung bejaht hatte, wurde er vom Stahlhelm zum
Tode verurteilt : ,, Wir fordern die Todesstrafe für Landes-
verräter und Verächter deutschen Volkstums wie Hello
von Gerlach.''

Correspondence

Anreden

Vertraulich :

Lieber	Rudolf !
Mein lieber	Vater (Papa) !
Mein guter	Bruder !
Liebster	Onkel !
Teuerster	Freund ! usw.

Liebe	Anna !
Meine liebe	Mutter (Mama) !
Meine gute	Schwester ! usw.

Lieber		(Herr) Doktor !
Mein lieber		(Herr) Morich !
Verehrter		Herr Pfarrer !
Sehr		(Herr) Graf !
Mein	verehrter	Freund !
Hoch		usw.

Liebe	Frau Mayer !
Meine liebe	Frau Lenore ! (sehr intim).
Verehrte	Kusine ! usw.

(Mein) Liebes Fräulein ! (von Damen).
Sehr verehrtes * Fräulein !
Sehr verehrtes gnädiges Fräulein ! } (von Herren).
Meine Lieben ! (an mehrere Verwandte).
Meine lieben Eltern !   usw.

Geschäftlich und förmlich :

Sehr geehrter Herr !
Hochgeehrter Herr Geheimrat !
Hochgeschätzter Herr Baron !
Hochzuverehrender Herr Oberst ! (militärisch).

* The form *verehrt* is more intimate than the more formal *geehrt*.

Sehr geehrte gnädige Frau !
Hochgeehrte ⌠ Baronesse ! ⌡
Sehr geehrte ⌠ Komtesse ! ⌡ (unverheiratet).
Sehr geehrtes Fräulein !
Gnädigste Frau (Frau Baronin, Gräfin) !   usw.

LESSON II

Conversation

Wir haben fertig gepackt

(ANDREW HAMILTON *und seine Frau* JEAN *sind mit dem Packen für die Reise beschäftigt.* ANDREWS *rötliches Haar ist ganz zerzaust; er hält dann und wann inne, um sich den Schweiss von Stirn und Nacken abzuwischen und er sieht halb böse, halb verblüfft aus. Allerlei Sachen liegen in scheinbarer Unordnung überall im Zimmer umher. Die Luft scheint etwas dick zu sein.*)

A. H. (*drückt den Rest seiner Zigarette auf einem schon überfüllten Aschenbecher aus*). Wo ist Ann ?

J. H. (*mit einem Seufzer*). Ich hab's dir schon 'zigmal gesagt — sie verbringt den Abend bei einer Freundin.

A. H. Weshalb wählt sie gerade diesen Abend, um mit ihren Freundinnen herumzulaufen und die Zeit mit leerem Geschwätz zu vertrödeln ? (*Zündet wieder eine Zigarette an.*) Hoffentlich sind ihre Sachen schon gepackt worden ?

J. H. Du Brummbär ! Ich glaube, du rauchst dich wirklich krank, so ein Kettenraucher ! Natürlich hat sie heute morgen ihre Koffer selbst besorgt. Kannst du mit diesem Koffer zur Hand sein ? Das Schnappschloss geht nicht.

A. H. (*nachdem er die Schlösser zugeklappt hat*). Was tut denn eigentlich die Marie ?

J. H. Sie hat heute abend frei.

A. H. Da hört doch alles auf ! Es ist wirklich komisch, dass gerade an diesem Abend — wo steckt mein verfluchtes Rasiermesser ?

J. H. Pfui, mein Lieber, was für Ausdrücke ! Was ist denn das in dem Radio ? Jetzt bin ich mit meinen Sachen fertig. Kann ich dir etwas Hilfe leisten ?

A. H. Das ist sehr reizend von dir, aber ich möchte lieber, dass du mir einen Cocktail einschenkst.

J. H. Nein, mein Lieber, du bist sowieso etwas reizbar, nach einem Cocktail würdest du wirklich zu unerträglich sein. Ich mache bald Kaffee. Nun, jetzt geht's los !

7

(Sie packen alles Nötige und manches Unnötige ein. Hemden, Schlafanzüge, Schuhe, Rasierklingen, Taschentücher, Unterhosen, Socken, Krawatten, Seife, Haaröl, Haarbürsten, drei Jacketts, ein Golfanzug, Flanellhosen u. a. (=und anderes) verschwinden im grossen Koffer. Endlich ist alles in schönster Ordnung von den geschickten Händen von Frau HAMILTON *in den Koffer gelegt worden, aber trotz aller Versuche gelingt es ihnen nicht, den Koffer zuzumachen.)*

A. H. *(brummt vor sich hin)*. Sapperment ! Wenn ich auch den verdammten Deckel einstossen sollte, ich werde damit fertig werden !

PETER *(tritt ein)*. Um Gottes willen, weshalb nimmst du all dieses Zeug mit ? Es sieht fast aus, als ob ich unzeitig in einen ehelichen Streit ge — raten wäre !

A. H. Ich ziehe es vor, auf alle Möglichkeiten vorbereitet zu sein. *(Wischt sich die Stirn mit seinem Taschentuch.)*

P. H. Ich reise immer unbeladen — dann kann nichts verloren gehen. Wie Terenz oder Tacitus : omnia mea mecum porto.*

A. H. Da hast du dich wieder versprochen, mein Alter ! Du meinst vielmehr den Spruch von Horaz : Viator vacuus coram latrone ridet.†

P. H. Hat Horaz das wirklich gesagt ? Es ist mir ganz egal. Na also, schwelgst du wirklich in dieser Art Zeitvertreib oder soll ich dir helfen ?

J. H. Sei so gut, Peter, und mache etwas Kaffee. Die Marie hat nämlich heute abend frei.

P. H. Wie es euch beliebt. Aber zuerst eine Zigarette ! *(Zieht sein silbernes Zigarettenetui heraus, das mit einem Benzinfeuerzeug versehen ist, und bietet seiner Schwägerin und seinem Bruder eine Zigarette an, und nachdem alle drei Zigaretten angezündet sind, geht er summend zur Küche ab.)*

Idiomatic Phrases

Du musst es mir nicht übelnehmen, wenn ich darauf hinweise, dass . . . *You must not mind my pointing out that . . .*

---

* I carry all my possessions on me.
† In the presence of the robber the traveller who has nothing can laugh.

Er stieg in prunkhafter Aufmachung im Riesenfürstenhof ab, musste aber drei Wochen später heimlich Reissaus nehmen. *He put up, with great pomp and circumstance, at the Grand Prince's Hotel, but a few weeks later was forced to do a bolt.*

Je mehr er trinkt, desto durstiger wird er. *The more he drinks the thirstier he becomes.*

Stehen Sie ordentlich auf und blöken Sie mich nicht so an! *Stand up properly, and don't bellow at me like that!*

Er wurde mit einer erheblichen Geldstrafe belegt. *He got a pretty stiff fine.*

Exercise

A Personal Description

Ann is a pretty, vivacious girl of eighteen, with light brown, wavy hair (with here and there a tendency to auburn) and a rather pale, oval face. Under beautiful arched eyebrows (which need no plucking) her brown eyes are nearly always sparkling with good humour. They do, however, at times assume a serious, not to say passionate, expression. Her upper lip forms a perfect cupid's bow, and not the least of her charms is the dainty dimple at the point of her chin. She is somewhat sensitive about her freckles, quite unnecessarily, for they are by no means unbecoming.

She has a ready wit, a well-balanced judgment and her school reports have always commended her intelligence and industry. She has outstanding linguistic ability (and this goes for her English as well as for the French, German and Italian languages) and is good all round at sport. She is particularly fond of long country walks with her dog, a black spaniel with a pedigree long enough to make a duke envious. It is, of course, true that the pedigree certificate begins : " To the best of my knowledge and belief. . . ."

Ann is a good typist (45 words a minute) and is learning shorthand at an evening school. She sings quite sweetly and plays the piano delightfully. Her favourite composer is Chopin for the piano and Beethoven for the orchestra. She is engaged to be married to a Polish officer with whom she became acquainted while holidaying in Scotland.

Extract

Aus „ Im Westen nichts Neues "

Im Trommelfeuer

Mitten in der Nacht erwachen wir. Die Erde dröhnt. Schweres Feuer liegt über uns. Wir drücken uns in die Ecken. Geschosse aller Kaliber können wir unterscheiden.
Jeder greift nach seinen Sachen und vergewissert sich alle Augenblicke von neuem, dass sie da sind. Der Unterstand bebt, die Nacht ist ein Brüllen und Blitzen. Wir sehen uns bei dem sekundenlangen Licht an und schütteln mit bleichen Gesichtern und gepressten Lippen die Köpfe.
Jeder fühlt es mit, wie die schweren Geschosse die Grabenbrüstung wegreissen, wie sie die Böschung durchwühlen und die obersten Betonklötze zerfetzen. Wir merken den dumpferen, rasenderen Schlag, der dem Prankenhieb eines fauchenden Raubtiers gleicht, wenn der Schuss im Graben sitzt. Morgens sind einige Rekruten bereits grün und erbrechen sich. Sie sind noch zu unerfahren.
Langsam rieselt widerlich graues Licht in den Stollen und macht das Blitzen der Einschläge fahler. Der Morgen ist da. Jetzt mischen sich explodierende Minen in das Artilleriefeuer. Es ist das Wahnsinnigste an Erschütterung, was es gibt. Wo sie niederfegen, ist ein Massengrab.
Die Ablösungen gehen hinaus, die Beobachter taumeln herein, mit Schmutz beworfen, zitternd. Einer legt sich schweigend in die Ecke und isst, der andere, ein Ersatzreservist, schluchzt ; er ist zweimal über die Brustwehr geflogen durch den Luftdruck der Explosionen, ohne sich etwas anderes zu holen als einen Nervenschock.
Die Rekruten sehen zu ihm hin. So etwas steckt rasch an, wir müssen aufpassen, schon fangen verschiedene Lippen an zu flattern. Gut ist, dass es Tag wird ; vielleicht erfolgt der Angriff vormittags.
Das Feuer schwächt nicht ab. Es liegt auch hinter uns. So weit man sehen kann, spritzen Dreck- und Eisenfontänen. Ein sehr breiter Gürtel wird bestrichen.
Der Angriff folgt nicht, aber die Einschläge dauern an.

Wir werden langsam taub. Es spricht kaum noch jemand.
Man kann sich auch nicht verstehen.

Unser Graben ist fast fort. An vielen Stellen reicht er
nur noch einen Meter hoch, er ist durchbrochen von Löchern,
Trichtern und Erdbergen. Direkt vor unserm Stollen
platzt eine Granate. Sofort ist es dunkel. Wir sind
zugeschüttet und müssen uns ausgraben.

Correspondence

Briefanfänge

Ihre Karte { von (Ort) } habe ich erhalten.
Ihren Brief { vom (Datum) } Besten Dank !

Besten Dank } für { deine hübsche Karte !
Schönen Dank } { deinen { lieben } Brief !
{ interessanten }

Dein { lieber } Brief hat mir viel Freude gemacht
{ gestriger } (Vergnügen bereitet).
{ interessanter }

Ich habe aus { Deinem } Brief
{ Ihrem }

{ mit Freude (Vergnügen)
{ leider
{ zu meinem grossen (grössten) { Befremden } entnommen,
{ Bedauern } dass . . .

Briefschlüsse

Dein } (treuer) { Vater. Deine } (treue) Mutter.
Euer } { Theodor. Eure } Anna.

Dein { dankbarer
{ Dich liebender { Sohn }
{ dankbar } ergebener { } Otto.
{ sehr } { Neffe }

Deine Dich (innig) { liebende { Tochter }
{ küssende { Schwester } A.
{ umarmende { Mutter }
{ Freundin }

Mit $\begin{Bmatrix} \text{frdl. } (= \text{freund-} \\ \text{lichem)} \\ \text{herzlichem} \\ \text{bestem} \end{Bmatrix}$ $\begin{Bmatrix} \text{Gruss (von mir} \\ \text{und H.)} \end{Bmatrix}$ stets $\begin{Bmatrix} \text{Dein(e)} \\ \text{Euer} \\ \text{(Eure)} \end{Bmatrix}$ S.

Mit den besten (freundlichsten) Grüssen usw.

Mit der Bitte, mich Deiner (Ihrer) verehrten Frau Gemahlin bestens empfehlen zu wollen, verbleibe ich Dein (Ihr) usw.

W.S.g.u !=Wenden Sie gefälligst um ! *
$\begin{Bmatrix} \text{NS.} = \text{Nachschrift.} \\ \text{PS.} = \text{Postscriptum.} \end{Bmatrix}$

* Or merely : *Wenden.*

LESSON III

Conversation

In dem Zug

(SZENE : *Victoria Station.* ANDREW HAMILTON, JEAN *seine Frau,* PETER HAMILTON, ANN *und* MALCOLM *steigen aus einem Taxi aus.* ANDREW *ruft einen Gepäckträger und bittet ihn, das Gepäck in den Gepäckwagen des Schnellzuges nach Dover zu setzen. Die anderen, die mit Regenmänteln, Schirmen und Köfferchen ausgerüstet sind, gehen in den Bahnhof.* ANDREW HAMILTON *folgt ihnen, nachdem er dem Chauffeur das Fahrgeld nebst einem Trinkgeld überreicht hat.*)

A. H. (*der mit den anderen auf dem Bahnsteig steht, stöbert in allen Taschen seiner Jacke, guckt in seine Brieftasche, die er fünfmal hervorholt, legt den Inhalt seiner Westen- und Hosentaschen heraus, bis er endlich die Fahrkarten findet*). Ach, da sind sie! (*Steckt alles wieder ein.*)

TRÄGER. Wollen Sie das Gepäck einschreiben lassen ?

A. H. Ja, bitte — bis nach Ostende. Fahrkarten ? Ach ja, ich komme mit.

(*Die anderen begeben sich zu dem für sie reservierten Abteil.* P. H. *legt die Köfferchen und Regenschirme auf das Netz oder steckt sie unter den Polstersitz.*)

P. H. Wo möchtest du am liebsten sitzen, Jean ?

J. H. In der Ecke, bitte, nach vorne.

MALCOLM. Und ich will die andere Ecke neben dem Gang haben.

ANN. Nein, der Platz ist für mich. Ich reise nicht gern mit dem Rücken gegen die Lokomotive, das macht mich schwindlig.

MALCOLM. Pfui, so klapperig bist du ! Du solltest mehr Spinat essen, dann wärest du wie ich, gesund wie ein Fisch im Wasser.

(*Alle nehmen ihre Plätze ein und machen es sich bequem.*)

J. H. Wo hat sich Andrew denn eigentlich versteckt ? Der Zug soll schon bald abfahren, nicht wahr ?

P. H. Keine blasse Ahnung. Vielleicht ist er einem süssen jungen Ding beim Einsteigen mit ihrem Gepäck

13

behilflich. (*Sieht auf seine Armbanduhr.*) Wir haben noch
einige Minuten — ich hole dir etwas zu lesen.

J. H. Nein, es ist nicht der Mühe wert, ich fühle mich
wirklich zu schläfrig, um zu lesen. Ausserdem könnte
das süsse junge Ding eine Freundin haben, und ich würde
einen Schlag kriegen, wenn ihr beide zurückbleiben würdet.

A. H. (*tritt ins Abteil ein*). Na, das ist erledigt. Hier ist
Schokolade und Gerstenzucker, Malcolm — nein, noch
nicht, du kleiner Schelm, warte, bis du auf dem Schiff bist,
der Gerstenzucker ist ein gutes Mittel gegen die Seekrank-
heit.

MALCOLM. Ich seekrank ? Pfui, nur die Mädel werden
seekrank. Ich bin stark und seefest !

A. H. Gut so, in diesem Falle kannst du deiner Schwester
deinen Anteil geben. (*Indem er sich* JEAN *zuwendet.*) Ich
dachte, du möchtest etwas zu lesen haben ; da hab' ich
einige Zeitschriften vom Bücherstand gekauft.

J. H. Besten Dank, mein Lieber, aber es war wirklich
nicht nötig. Wir fingen an, nicht wenig besorgt um dich
zu werden.

A. H. Wieso ? Aha, wir fahren schon ab.

(*Auf dem Bahnsteig schlagen die Beamten die Wagen-
türen zu, indem sie rufen : ,, Einsteigen, bitte ! " Die Lokomotive pfeift schrill und der Zug setzt sich langsam in Bewe-
gung. Noch etwas Küssen, Händedrücken und Wehen mit
Taschentüchern, und die Reisenden nehmen von den Zurück-
gebliebenen einen letzten Abschied. Die lange Reise fängt
jetzt an.*)

Idiomatic Phrases

Kümmere dich um deine eignen Angelegenheiten. *Mind
your own business.*

Wir haben ein höchst unmittelbares Interesse an den
Vorgängen in China. *We are very closely affected by the
events in China.*

Nun schiess los ! Ich bin ganz Ohr (und Auge). *Right-o,
fire away ! I am all ears (and eyes).*

Was deinen Bruder betrifft, bin ich völlig ratlos. Am
besten wäre es, wenn er nach England zurückkäme. *As
for your brother, I am at a loss what to say. It would be best
for him to come back to England.*

Der Rechtsanwalt erklärte, eine Dame spiele in der Sache

eine Rolle. *The lawyer explained that there was a lady in the case.*

Exercise

(a) *" Can one go and see the Böblingen Air-port ? "*

" Yes, certainly ! It is an air-port with considerable international traffic, and there is also a German Aeronautical Museum and a hotel for passengers. You take the train or the bus from the Airways Office in Prince's Street and it takes about 35 minutes.

" There is a connection with the suburban trains from Stuttgart Central Station to Böblingen, and from there it's only a stone's throw to the air-port. The tour of inspection costs 20 pfennig per head. For larger parties it costs 10 pfennig, but only by application in advance."

" Is there any opportunity for short flights ? "

" Of course ! One can go for a short flight in a giant Lufthansa plane by arrangement over the 'phone with the city office ('phone 24757)."

" What's the charge ? "

" I think the charge for a flight is from 5 marks per head."

(b) The notes of the piano are white and black. Just listen to the sweet notes of that bird ! This morning I got a note from my cousin. Take great note of this fact, as it is most important. That's an extremely useful tip—I'll take a note of that (*i.e.* remember it). I noticed that the chairman was a friend of the applicant. She took no notice of him. Until further notice. We have brought it to his notice.

Extract

Aus „ Zwischen den Rassen " *

Da aber — was bedeutet dies ? — sass eines Nachmittags im Saal, wo Grossmutter klöppelte, Mama, die schöne Mama und weinte : ja, weinte laut. Kaum aber hatte sie ihr kleines Mädchen erblickt, stürzte sie darauf los, riss es

* Verlag Paul Zsolnay, Berlin-Wien.

an sich, fiel vor ihm auf die Knie, rief und rang das Schluch-
zen nieder :

„ Lola ! Meine Lola ! Sag : bist du nicht mein ? "

Mit einem Finger vor den Lippen, erschrocken fragend
sah das Kind nach der Grossmutter : die sass da, gerade und
streng wie immer und klöppelte.

„ Bist du nicht mein ? " flehte die Mutter.

„ Ja, Mai."

„ Man will dich mir wegnehmen. Sag, dass du nicht
willst ! Hörst du ? Du willst doch nicht fort von mir,
von uns allen ? "

„ Nein, Mai. Ach Gott ! Wohin soll ich ? Ich will
dableiben : bei Pai, bei dir, bei Anna ! Die Luiziana hat
mir ein kleines Kanoe versprochen : morgen bringt sie es ! "

Aber schon am Abend wartete auf die kleine Lola ein
grosses Kanoe.   Die schöne Mai lag in einer Ohnmacht ;
Nene hing schreiend an Lolas Kleid ; — aber ein Schwarzer
machte sie los, trug sie, und die Ärmchen würgten ihn, ans
Wasser, setzte vorsichtig seinen nackten Fuss von einem
der grossen überfluteten Steine auf den nächsten. . . . Das
Meer brandete wütend ; zerrissene Finsternis flatterte
umher ; und manchmal warf ein Stern ein böses Auge
herein. Nun ward das Kind ins Bett gelegt ; es hatte nicht
geschrieen, es weinte unhörbar im Finstern ; die Schwarzen
ruderten schweigend ; und das Kielwasser leuchtete fahl,
als sei es die Spur eines Verbrechers.

Aus „ Madame Legros " *

(Zweiter Akt.   Siebente Szene.)

LEGROS. Es ist zuviel ! Ich schaffe Ordnung ! (Will
durch das Tor.)

DER TORHÜTER. Niemand tritt ein !

LEGROS. Mach' keine Geschichten ! Die da ist meine
Frau. (Er wirft den TORHÜTER beiseite.)

(Volk sammelt sich an.)

KÖNIGIN. Was gibt es ? Das Volk !

CHEVALIER (zu LEGROS). Was suchen Sie hier

* Verlag Paul Zsolnay, Berlin-Wien.

LEGROS. Etwas, das Ihnen nicht gehört! Ich will meine Frau haben! Es ist mein Recht! (*Packt* MADAME LEGROS *an.*) Schier dich nach Haus.

CHEVALIER (*befreit* MADAME LEGROS). Ich bitte mir Achtung aus vor den anwesenden Damen! (*Zur* KÖNIGIN.) Fürchten Sie nichts, Madame. Es ist nur ihr Mann. Sie begreifen, dass die Ehe ein wenig gestört ist.

KÖNIGIN. Das ist amüsant. Was wird er tun?

LEGROS (*entblösst den Kopf*). Mit Verlaub. Ich war immer ein höflicher Mann, man soll nicht sagen, ich verkenne meine Pflicht gegen die Damen. Diese hier aber ist meine Frau, und sie benimmt sich, ich darf nicht sagen, wie. (*Zu* MADAME LEGROS.) Schämst du dich nicht, Madame Legros? Die Leute reden von dir, und auf mich zeigen sie mit Fingern. Du vernachlässigst das Geschäft und das Haus. Hast du dich über deinen Mann zu beklagen? Warum läufst du mir also davon?

CHEVALIER (*zeigt auf die Verwandte*). Sie, Herr Legros, haben sich getröstet. Meinen Glückwunsch. Sie haben Geschmack.

VERWANDTE (*ist eingetreten*). Mir kann niemand etwas Schlechtes nachsagen.

KÖNIGIN. Eine hübsche Familie! So dachte ich mir das Volk.

Correspondence

Darf ich Sie bitten, mir, usw.

Sei so freundlich und schreibe (sende mir (uns) Nachricht), ob . . .

Bitte, { schreiben Sie mir / seien Sie so freundlich und schreiben Sie mir

{ sobald wie möglich, / möglichst bald, } wann (warum, usw.), . . .

Mit / Zu meinem } Bedauern muss ich { Ihnen / Dir } { mitteilen, / gestehen, / zugeben, } dass . . .

Mit { Ihrem Vorschlag / dem Inhalt Deines Briefes } bin ich einverstanden.

Der Inhalt Ihres Briefes berührt mich recht unangenehm (peinlich).

Ich $\begin{cases} \text{danke Dir} \\ \text{bin Ihnen sehr dankbar (verpflichtet, verbunden)} \end{cases}$ für

Deinen liebenswürdigen Brief (für die Mitteilungen in Ihrem Brief).

Kaum war mein Brief vom . . . abgeschickt, als ich den Ihrigen erhielt.

$\left.\begin{array}{l} \text{Unter Bezug} \\ \text{Bezugnehmend} \end{array}\right\}$ auf $\begin{cases} \text{Ihren freundlichen Brief} \\ \text{Ihre gefällige Zuschrift (Anfrage)} \\ \text{Ihr geschätztes Schreiben (Angebot)} \end{cases}$

vom $\begin{cases} \text{6. April (sechsten Mai, 6ten Mai)} \\ \text{10. d. M. (zehnten dieses Monats)} \\ \text{28. v. M. (achtundzwanzigsten vorigen Monats)} \end{cases}$

teile ich Ihnen mit, dass . . .

erlaube ich mir, Ihnen mitzuteilen, dass . . .

erwidere ich höflichst, dass . . .

beehre ich mich, Ihnen mitzuteilen, dass . . .

beeile ich mich, Ihnen ergebenst zu erwidern, dass . . .

Entschuldigungen wegen Verzögerung der Antwort.

Nehmen Sie es mir nicht übel,

Seien Sie mir nicht böse,

Ich, hoffe, Sie werden es mir nicht übelnehmen,

dass ich $\begin{cases} \text{Sie so lange auf Antwort warten liess.} \\ \text{Deinen lieben Brief erst heute beantworte.} \end{cases}$

$\left.\begin{array}{l} \text{Verzeihen Sie,} \\ \text{Entschuldigen Sie,} \end{array}\right\}$ wenn ich $\begin{cases} \text{Ihnen erst heute antworte.} \\ \text{erst heute auf den Inhalt} \\ \quad \text{Ihres Briefes vom 6. April} \\ \quad \text{zurückkomme.} \end{cases}$

Dringende Arbeiten haben die Beantwortung Ihres Schreibens bis heute verzögert.

Eben komme ich von einer längeren Reise und finde Ihren Brief vom 6. April vor.

Ich bin schwer krank gewesen — Ich war auf einer Erholungsreise — im Erholungsheim wegen einer Operation — geschäftlich nach Paris geflogen. Ich war leider durch einem Gichtanfall ans Bett gefesselt.

LESSON IV

Conversation

Das Schiff

(Der Sonderzug ist in Dover angelangt. Die Passagiere steigen aus und begeben sich zum Kai. Dort liegt der schmucke Dampfer, der sie über den Kanal führen soll. Sie gehen den Landungssteg hinauf, wo man ihnen je eine Karte überreicht.)

MALCOLM. Wozu dient diese Karte, Vater ?

A. H. Auf diese Weise zählt man die Passagiere. Wenn man soundsoviele Karten austeilt, so muss man soundsoviele Fahrkarten einnehmen, wenn das Schiff schon unterwegs ist.

MALCOLM. Seht diesen Kran dort, der alles Gepäck aufnimmt, gerade als ob es nur eine Flaumfeder wäre !

ANN. Stellt er das Gepäck auf das Deck ?

MALCOLM. Natürlich nicht ! Er stellt das Gepäck in die offenen Schiffsräume, nicht wahr, Vater ?

A. H. Ja. Seht mal da — der gewaltige Tourenwagen soll auch verladen werden.

P. H. Wenn du versprichst, dich ganz artig zu benehmen, will ich den Zahlmeister fragen, ob du in den Kesselraum hinuntersteigen darfst.

MALCOLM. Ach, das ist aber wunderbar ! Ich werde kreuzbrav sein.

ANN. Ist dies ein richtiges Schiff — ich meine, ist ein Funker an Bord, ein Schiffsarzt und ein — ein Schiffszimmermann und so fort ?

P. H. *(lacht)*. Natürlich ist es ein richtiges Schiff, und du kannst ein Radiotelegramm absenden, wenn du willst. Und falls du plötzlich krank wirst, ist der Schiffsarzt da, um dich zu behandeln. Wäre es dir nicht angenehm, während eines Sturmes auf offenem Meere operiert zu werden ?

ANN. Ich danke. Ist auch ein Schiffskoch und ein Schiffsjunge an Bord ?

P. H. Ich glaube wohl. Und Kellner und eine Menge

Aufwärter und Aufwärterinnen dazu, und der Kapitän führt ein richtiges Logbuch.

MALCOLM.   Was ist denn dieser Platz da drüben ?

P. H.   Das ist die Kommandobrücke.   Aber hör auf mit dieser Fragerei.   Warte da mit deiner Schwester, während ich versuche, den Zahlmeister auf unsere Seite zu bringen. (*Geht ab.*)

(*A. H. und seine Frau kommen zurück.*)

J. H.   Komm, Ann, wir haben Kabine Nummer 12.

ANN.   Ein Glück, dass es nicht Nummer 13 ist. Hoffentlich gibt es da fliessendes heisses Wasser — ich fühle mich furchtbar schmutzig.

Idiomatic Phrases

Es wird so weiter gewurstelt. *We keep on muddling through.*

Er sah aus wie vom Donner gerührt. *He appeared thunderstruck.*

Er kam wie gerufen. *He came in the nick of time.*

Bleiben Sie bitte in Rufweite. *Please remain within call.*

Nehmen Sie einstweilen Platz. *Please sit down while you're waiting.*

Er weigerte sich, nach Hause zu gehen. *He refused to go home.*

Er schlug unser Angebot ab. *He refused our offer.*

Ich sehe mit Bedauern. *I regret to see.*

Exercise

(a) *What is the way to . . . ?*

From Stuttgart to the Württemberg and the wine-villages on the Neckar :

You go by rail (9-minute journey) or by tram number 25 from Castle Square (24-minute journey) to Unterturkheim.   You then go up the vineyards to Rotenberg and to the Cemetery Chapel on the Württemberg.   On this site stood the ancestral castle of the lords of Württemberg 411) metres above sea-level).   If you want to walk then you take the number 1 or 21 to King Charles' Bridge and walk up the Neckar to Untertürkheim ; or it is very nice to go by motor-boat (summer only). From Rotenberg you walk through the woods to the Kernen watch-tower (one hour), or you can go down to Uhlbach. From there it's 20 minutes to Obertürkheim, where you get the railway or tram to Stuttgart. From the Kernen you can go down through the woods to Fellbach, a particularly enjoyable walk when the trees are in blossom. From Fellbach you take the tram back to Stuttgart. Just wait a minute—I'll draw you a little map of the whole district.

Extract

Aus ,, Erdgeist "*

Dritter Aufzug. Zehnter Auftritt

SCHÖN. LULU

LULU (*ironisch*). Sie hatten Ihren veredelnden Einfluss überschätzt.

SCHÖN. Verschone mich mit deinem Witzen.

LULU. Der Prinz war hier.

SCHÖN. So ?

LULU. Er nimmt mich mit nach Afrika.

SCHÖN. Nach Afrika ?

LULU. Warum denn nicht ? Sie haben mich ja zur Tänzerin gemacht, damit einer kommt und mich mitnimmt.

SCHÖN. Aber doch nicht nach Afrika !

LULU. Warum haben Sie mich denn nicht ruhig in Ohnmacht fallen lassen und im Stillen dem Himmel dafür gedankt ?

SCHÖN. Weil ich leider keinen Grund hatte, an deine Ohnmacht zu glauben !

LULU (*spöttisch*). Sie hielten es unten nicht aus . . . ?

SCHÖN. Weil ich dir zum Bewusstsein bringen muss, was du bist und zu wem du nicht aufzublicken hast

LULU. Sie fürchteten, meine Glieder könnten doch vielleicht ernstlich Schaden genommen haben ?

* Georg Müller Verlag, München.

SCHÖN. Ich weiss zu gut, dass du unverwüstlich bist.

LULU. Das wissen Sie also doch ?

SCHÖN (*aufbrausend*). Sieh mich nicht so unverschämt an ! !

LULU. Es hält Sie niemand hier.

SCHÖN. Ich gehe, sobald es klingelt.

LULU. Sobald Sie die Energie dazu haben ! — Wo ist Ihre Energie ? — Sie sind seit drei Jahren verlobt. Warum heiraten Sie nicht ? — Sie kennen keine Hindernisse. Warum wollen Sie mir die Schuld geben ? — Sie haben mir befohlen, Dr. Eroll zu heiraten. Ich habe Doktor Eroll gezwungen, mich zu heiraten. Sie haben mir befohlen, den Maler zu heiraten. Ich habe gute Miene zum bösen Spiel gemacht. — Sie kreieren Künstler, Sie protegieren Prinzen. Warum heiraten Sie nicht ?

SCHÖN (*wütend*). Glaubst du denn vielleicht, dass du mir im Wege stehst ? !

LULU (*von jetzt an bis zum Schluss triumphierend*). Wüssten Sie, wie Ihre Wut mich glücklich macht ! Wie stolz ich darauf bin, dass Sie mich mit allen Mitteln demütigen ! Sie erniedrigen mich so tief — so tief, wie man ein Weib erniedrigen kann, weil Sie hoffen, Sie könnten sich dann eher über mich hinwegsetzen. Aber Sie haben sich selber unsäglich weh getan durch alles, was Sie mir eben sagten. Ich sehe es Ihnen an. Sie sind schon beinahe am Ende Ihrer Fassung. Gehen Sie ! Um Ihrer schuldlosen Braut willen, lassen Sie mich allein ! Eine Minute noch, dann schlägt Ihre Stimmung um, und Sie machen mir eine andere Szene, die Sie jetzt nicht verantworten können !

SCHÖN. Ich fürchte dich nicht mehr.

LULU. Mich ! — Fürchten Sie sich selber ! — Ich bedarf Ihrer nicht. — Ich bitte Sie, gehen Sie ! Geben Sie nicht mir die Schuld. Sie wissen, dass ich nicht ohnmächtig zu werden brauchte, um Ihre Zukunft zu zerstören. Sie haben ein unbegrenztes Vertrauen in meine Ehrenhaftigkeit ! Sie glauben nicht nur, dass ich ein bestrickendes Menschenkind bin ; Sie glauben auch, dass ich ein herzensgutes Geschöpf bin. Ich bin weder das eine noch das andere. Das Unglück für Sie ist nur, dass Sie mich dafür halten.

SCHÖN (*verzweifelt*). Lass meine Gedanken gehen ! Du hast zwei Männer unter der Erde. Nimm den Prinzen, tanz ihn in Grund und Boden ! Ich bin fertig mit dir.

Ich weiss, wo der Engel bei dir zu Ende ist und der Teufel beginnt. Wenn ich die Welt nehme, wie sie geschaffen ist, so trägt der Schöpfer die Verantwortung, nicht ich! Mir ist das Leben keine Belustigung.

Commercial Correspondence

Empfangsbestätigungen (usw.)

Vom Inhalt Ihrer Zuschrift habe ich Kenntnis genommen und teile Ihnen mit, dass . . . usw.

Ich habe $\begin{cases} \text{Ihren Brief} \\ \text{Ihr Schreiben} \end{cases}$ vom 6. April mit bestem Dank erhalten (mit verbindlichstem Dank empfangen).

Ich bestätige den Empfang (Eingang) Ihres Briefes.

Ich bin im Besitz Ihres Schreibens.

Ihr Brief vom . . . mit den verschiedenen Anlagen —
$\begin{cases} \text{ist heute eingetroffen.} \\ \text{kam heute bei mir an.} \\ \text{befindet sich in meinen Händen.} \end{cases}$

Die mit Ihrem Brief vom . . . an mich übersandte (überwiesene) Preisliste habe ich erhalten.

Wegen Begleichung Ihrer Rechnung beziehe ich mich auf die (in Abschrift) einliegenden früheren Briefe.

Ich schrieb Ihnen am 6. April, dass, usw.

Ich hatte schon gestern (am 16. v. M. (=vorigen Monats) das Vergnügen, Ihnen mitzuteilen, dass . . . usw.

Ich darf wohl annehmen, dass Sie meinen am 6. April abgegangenen Brief inzwischen bekommen haben.

Meinem Brief vom 16. April muss ich noch hinzufügen, dass . . . usw.

Ich bitte Sie dringend, meinem Brief vom 15. September Ihre Aufmerksamkeit zu schenken.

In Ergänzung meines Briefes vom 6. April muss ich Ihnen leider mitteilen, dass, usw.

Im Anschluss an meinen Brief vom . . .

Ich sehe mich veranlasst, meinem Brief vom 6. April folgendes beizufügen.

Wir haben Sie schon dreimal ersucht, unsere Faktura vom 21. Oktober d. J. (=dieses Jahres) von £27 zu begleichen, aber bis jetzt keine Antwort darauf erhalten.

Begleitschreiben

Ich sende Ihnen anbei . . .

Anbei   } sende   }
Hiermit   schicke   } ich Ihnen . . .
In der Anlage   überreiche }
Auf Veranlassung des Herrn H. } überweise }

Wir behändigen (schicken) Ihnen { einliegend (anliegend) . . .
                                      { separat, . . .

LESSON V

Conversation

Im Hotel

(Die Gesellschaft ist jetzt nur vierköpfig, da ANN *nach Bayern abgefahren ist. Sie haben sich vorgenommen, sie am 5. August in München wiederzusehen und dann am 8. August zusammen nach England zurückzureisen.* FRAU HAMILTON *war freilich ziemlich besorgt, dass* ANN *eine so lange Strecke allein fahren sollte, aber* PETER HAMILTON *beruhigte sie mit der Bemerkung, dass sie eine selbstbewusste erwachsene junge Dame von 18 Jahren sei und schon ganz gut wisse, für sich zu sorgen.*

Sie steigen aus dem Taxi aus. Ein Portier eilt heraus, um das Gepäck zu besorgen.)

P. H. Nun, da sind wir. *(Zum* CHAUFFEUR.*)* Wieviel sind wir Ihnen schuldig?

CHAUFFEUR *(sieht den Taxameter an)*. Vier Mark 75, bitte.

P. H. Gut. Hier sind 7 Mark. Das stimmt?

CHAUFFEUR. Schönen Dank, mein Herr.

(Sie treten ins Hotel ein und gehen an die Kasse.)

EMPFANGSBEAMTER. Guten Morgen, meine Dame and Herren. Wir haben gestern Ihr Telegramm erhalten und haben Sie erwartet. Alles ist schon in Ordnung.

J. H. Wir haben zwei Schlafzimmer bestellt, jedes mit zwei Betten.

EMPFANGSBEAMTER. Ja, gnädige Frau, das ist so. Wir haben die Nummern 31 und 32 für Sie vorbereitet. Ich bin sicher, dass Sie damit völlig zufrieden sein werden.

J. H. Hoffentlich gehen die Fenster nicht zur Strasse hinaus? Ich habe einen sehr leichten Schlaf, und der ewige Lärm der vorbeifahrenden Autos und Strassenbahnwagen stört mich.

EMPFANGSBEAMTER. Nummer 31 geht wohl nach der Strasse hinaus, aber das andere Zimmer hat einen sehr schönen Blick über die Anlagen der Sternwarte.

P. H. Ich wähle also Nummer 31 — der Verkehr stört mich nicht, ich schlafe immer wie ein Toter.

25

J. H. Schön. Ist es möglich, im Zimmer zu früh-
stücken ?

EMPFANGSBEAMTER. Ja, gewiss. In allen Zimmern gibt
es einen Fernsprecher — Sie brauchen nur den Hörer zu
heben, um alles zu bestellen, was Sie wünschen. Alle
Zimmer sind auch, wie vorher mitgeteilt, mit fliessendem
warmem und kaltem Wasser, Privatbad und allen neuen
Einrichtungen ausgestattet. Hier sind Ihre Zimmeraus-
weise. Der Preis steht darauf : 25 Mark ohne Trink-
geldablösung.

A. H. Schön. Können wir jetzt hinaufgehen ?

EMPFANGSBEAMTER. Ja, natürlich. Ich werde das
Gepäck vom Portier hinaufbringen lassen. Hier sind die
Schlüssel, die Sie an dem Haken dort hängen lassen müssen,
wenn Sie ausgehen. Ich möchte Sie aber zuerst bitten,
die Anmeldungsformulare auszufüllen. — Wie Sie sicher-
lich schon wissen, ist das polizeilich vorgeschrieben.

(*Er schiebt einen Anmeldeblock auf dem Pult hin und
reicht* FRAU H. *eine Füllfeder.*)

A. H. Wie Sie wollen.

Idiomatic Phrases

Ich zahlte ihm in gleicher Münze heim. *I paid him back
in his own coin.*

Du bist wohl nicht ganz munter ? *Are you mad ?*

Er war früh munter. *He was astir at an early hour.*

Ich sagte es ihm platt heraus. *I told him straight out.*

Es gilt für ausgemacht. *It is taken for granted.*

Das gilt nicht. *That's not allowed (isn't fair play).*

Was gilt's ? Es gilt einen Schilling. *What's the bet ?
I put a bob on it.*

Exercise

A. H. (*taking out his fountain-pen*). If you don't mind
I'll use my own pen. Now, what's this : " Surname and
Christian names"—that's easy enough. " Status "—h'm !
I'd better put " Director of vast commercial undertaking,"
don't you think ?—sounds quite imposing. Perhaps not—
they'd put the bill up. " Permanent address, with street
and number " (*writes the necessary details*). " Date and

place of birth, with district or county "—Heavens ! They'll want to know all about my birth-marks and physical defects, I expect.

P. H.   As bad as the Greyhound Racing Club in England —they even want to know the colour of the dog's toe-nails

A. H.   You mean claws, I suppose.

P. H.   It's all the same to me.

A. H. (*reading on*).   " Nationality and Passport Number " —(*to* CLERK) :   How do you know this is not all lies ?

CLERK (*seriously*).   We do not know, but it is laid down by law and we must carry out instructions.

A. H.   Well, the Germans are a free people—what did Otto Spengler say ?—the " freedom of obedience." (*Taking out his passport.*)   Quite beyond me, I must say.   But I suppose this is a necessary measure, since it prevails in all countries.

Extract

Aus der Tragödie ,, Der Jude von Konstanz " *

Nachspiel

EINER (*deutet auf die Juden, frech*).   Die dort ! die !
VIELE.   Ja die ! die Juden !   Niemand sonst !
NASSON.   Ihr alle !
Glaubt mir's, ich bin ein Arzt !   Ihr alle seid krank
an einer schweren Krankheit, welche stets
zum Tode führt und die der Tod doch heilt,
wenn er sie vor dem Ende unterbricht,
seid krank am Leben. . . .
Rühr' ich euch an, zerfallt ihr schon zu Staub,
den Staub nur verhüllt euer Gewand.   Dort draussen
sterbt ihr, und andere kehren heim.   Die Pfeiler
bersten im Wind.   Das alles ist ein Bild,
nichts als ein Bild, das ich zertrümmern kann. . . .
VIELE.   Er redet irr.   Wahnsinnig ist sein Tun.
KRISPIN.   Wir dürfen ihn nicht töten.   Das Gesetz
verbietet uns, dass wir den Wahnsinn richten.
DORNECKER.   's ist nur die Todesangst, die ihn erfasst.
NASSON.   Wahnsinnig bin ich nicht.   Auch Todesangst
trübt mir den Sinn nicht.   Aber ihr seid Toren !

* Horen Verlag, Leipzig.

Dort die habt ihr vom Kaiser euch erhandelt
um zwanzigtausend Gulden.   Und dafür
wollt ihr nichts als sie hingerichtet sehn ?
Für zwanzigtausend Gulden.   Rechn' ich selbst,
dass ihr zehntausend bar gefunden habt,
als ihr sie festnahmt, bleiben doch noch zehn,
die ihr für diesen kurzen Spass bezahlt.
Wollt ihr nicht Zinsen von den zwanzigtausend ?
Und Zinseszins ?   So lasst die Schwämme dort
sich wiederum voll Goldes saugen —
sie tun's, 's ist ihre Art —
und presst sie aus und wiederum und wieder,
so sind sie über hunderttausend wert.
Dann habt den Kaiser ihr um achtzigtausend
Gulden geprellt, um bare achtzigtausend !
Ihr Toren lasst euch den Gewinn entgehn
und richtet hunderttausend Gulden hin ? !
    DORNECKER.   Fürwahr das hätten wir bedenken sollen.
    STETTLER.   Wir können's noch bedenken ; es ist noch Zeit !
    AMMANN.   Wir müssen es.   Geldmangel herrscht seit
        langem —
Warum hat man das eher nicht erwogen !
    DORNECKER.   Das fragt euch selbst !   Herr Bürger-
        meïster, sprecht —
    BÜRGERMEISTER.   Brunnenvergiftung, Hostienschändung
        hat
den Juden man bewiesen, dass das Kind,
der gute Konrad, auch ihr Opfer war,
nahm das Gericht zum mindesten an. . . .   Vielleicht —
    KRISPIN.   Dann darf auch Nasson nicht gerichtet werden.
Auf die Bedingung bin ich einverstanden.
    DORNECKER.   Ei gerade !   Dessen Hände sammeln
        nichts.
Und etwas will das Volk heut sehn.
Ich fürchte, dass wir schon die Juden kaum
mit heiler Haut zurück zum Rheintor bringen.

        •   •   •   •

    BISCHOF.   Den einen dort verbrennt ihr ?
        (*Ratsherren zweifelnd ; ein Henker tritt hinter* NASSON.)
    FRECHE STIMME.   Hoho !   Jetzt wollen sie auch den
        Doktor schonen.
Hat der denn auch vergrabene Schätze ?   He ?

Wir wollen ihn brennen sehen und lassen uns
nicht um die ganze Freude prellen ! Nein !

DORNECKER. Lärmt doch nicht so ! Wir wollen ihn nicht
schonen !

Correspondence

Glückwünsche

Zur Jahreswende spreche ich Ihnen und Ihrer lieben
Familie (Ihnen u. Ihren werten Angehörigen) meine besten
(aufrichtigsten, herzlichsten, ergebensten) Glückwünsche
aus.

Zum neuen Jahre (bevorstehenden Jahreswechsel, kommenden J.) erlaube ich mir, Ihnen meine besten Glückwünsche auszusprechen (zum Ausdruck zu bringen).

Ich schicke Dir meine herzlichsten Glückwünsche zum
Geburtstag.

Empfangen Sie zu Ihrem morgigen (heutigen, bevorstehenden) Geburtstag meine aufrichtigsten Glückwünsche.

Ihren morgigen Geburtstag möchte ich nicht vorüber-
gehen lassen, ohne Sie aufs neue meiner herzlichsten Teilnahme an Ihrem Ergehen zu versichern.

Beileidsschreiben bei Todesfall

Anlässlich des Todes (Ablebens, Heimgangs, Hin-
scheidens) Ihres . . . (Ihrer . . ., des . . ., der . . .) schmerzlich berührt —

Tief (Aufs tiefste) bewegt (ergriffen, erschüttert) durch
die Nachricht (Kunde, Trauerbotschaft, Trauerkunde)
von dem plötzlichen (unerwarteten) Tode Ihres . . . (Ihrer
. . .), —

— spreche ich meine herzlichste Teilnahme aus.

— bitte ich Sie, den Ausdruck meines herzlichen und
aufrichtigen Beileids entgegennehmen zu wollen.

— erlaube (gestatte) ich mir, Ihnen hiermit die herzlichste Teilnahme an dem schmerzlichen Verlust auszusprechen (auszudrücken).

Die Nachricht von dem plötzlichen Tode Ihres . . .
(Ihrer . . .) hat mich schmerzlich berührt.

Mit aufrichtiger Trauer hat mich die Nachricht von dem
plötzlichen Tode Ihres . . . (Ihrer . . .) erfüllt.

LESSON VI

Conversation

Ein Ladenbesuch

(ANN *kommt im Laden an. Das Geschäft wimmelt von Käuferinnen und das ganze Personal ist so beschäftigt, dass sie ziemlich lange warten muss, bis sie an der Reihe ist. Endlich kommt eine Verkäuferin auf sie zu.*)

VERKÄUFERIN. Bitte, gnädiges Fräulein, womit kann ich Ihnen dienen, oder werden Sie schon bedient ?

ANN. Ich wünsche sechs Meter Kleiderstoff, bitte.

VERKÄUFERIN. Ja, gnädiges Fräulein. Folgen Sie mir, bitte. Wir haben eine ziemlich grosse Auswahl. Zu welchem Zweck brauchen Sie den Stoff ?

ANN. Für ein Tanzkleid.

VERKÄUFERIN. Wie finden Sie diesen Stoff ?

ANN. Ich fürchte, der ist nicht, was ich wünsche. Können Sie mir etwas Anderes zeigen ? Ich wünsche eine hellere Farbe, die zu diesem Mantel passen soll.

VERKÄUFERIN. Hier ist etwas aus zartrosa Seide, oder dieser hellblaue Chinakrepp ist ganz schön . . . Nein ? . . . Dann vielleicht dieser Stoff, echte Seide, das Zartgrün passt ausgezeichnet zu Ihrem Mantel, und, wenn ich es sagen darf, er passt auch zu Ihrer Gesichtsfarbe.

ANN. Ja, so etwas wünsche ich. (*Geht mit der* VERKÄU- FERIN *zu der Tür, um den Stoff im Sonnenlicht genauer anzusehen.*) Ja, ich nehme sechs Meter von diesem Stoff. Er wird wohl seine Farbe behalten ?

VERKÄUFERIN. Gewiss, gnädiges Fräulein, der Stoff ist waschecht und lichtecht.

ANN. Wieviel kostet er pro Meter ?

VERKÄUFERIN. Fünf Mark 75. Die Qualität ist ausserordentlich gut, und Sie werden damit völlig zufrieden sein. Haben gnädiges Fräulein sonstige Wünsche ? Strümpfe oder Abendwäsche ?

ANN. Ich danke. Aber ich möchte mir einen Hut besorgen. Wo befindet sich die Hutabteilung ?

VERKÄUFERIN. Im dritten Stockwerk. Der Fahrstuhl ist da drüben, in der Mitte.

ANN. Danke schön. Bezahle ich Ihnen für den Stoff ?

VERKÄUFERIN. Nein, gnädiges Fräulein (*überreicht* ANN *einen Zettel*). Sie müssen an der Kasse bezahlen, inzwischen werde ich Ihnen den Stoff einpacken.

(*In der Hutabteilung.*)

ANN (*nachdem sie verschiedene Hüte anprobiert hat*). Haben Sie etwas mit einer breiteren Krempe ? Diese kleinen Hüte stehen (passen) mir nicht sehr gut.

VERKÄUFERIN. Sie sind jetzt ganz in der Mode, gnädiges Fräulein, und wenn das Fräulein es mir gestattet, dieser dunkelblaue passt Ihnen ausgezeichnet.

ANN. Nein, ich mag ihn nicht. Ich möchte einige breiträndige Hüte ansehen, wenn Sie welche haben.

VERKÄUFERIN. Gewiss. Möchten Sie diesen anprobieren ?

ANN. Nein, blau und grün vertragen sich nicht, und ich will ihn mit diesem Mantel tragen — . Ich habe einen im Schaufenster gesehen, der mir ausserordentlich gefällt. Könnten Sie ihn für mich holen ?

VERKÄUFERIN. Natürlich. Wenn Sie ihn mir zeigen können, so will ich ihn für Sie holen.

(*Die* VERKÄUFERIN *holt den von* ANN *angedeuteten Hut aus dem Schaufenster und* ANN *probiert ihn an. Sie ist ganz strahlend, wie sie sich im Spiegel ansieht.*)

VERKÄUFERIN. Das ist, glaube ich, gerade das, was Sie gesucht haben. Der Stil passt wunderbar zu Ihnen und die Farbe lässt die Farbe Ihrer Augen hervortreten.

ANN. Ja, dieser gefällt mir sehr. Wieviel kostet er ?

VERKÄUFERIN. 35 Mark.

ANN. Das ist etwas teuer, nicht wahr ?

VERKÄUFERIN. O nein, es ist ein echtes Pariser Modell. Sie können ihn ruhig tragen, ohne zu fürchten, dass Sie einen gleichen sehen werden.

ANN. Sie gewähren wohl keinen Rabatt gegen Barzahlung ?

VERKÄUFERIN. Leider nicht, gnädiges Fräulein. Das ist der Nettopreis, wie Sie auf dem Zettel sehen können.

Idiomatic Phrases

Ich werde mein Möglichstes tun. *I'll do my best.*

Alles Mögliche. *Everything possible.*

Er bringt sich kümmerlich durch. *He has a job to make ends meet.*

Aus eigener Erfahrung oder nur vom Hörensagen ? *From your own experience or only from hearsay ?*

Da bin ich ins Fettnäpfchen getreten. *I dropped a brick (put my foot in it) there.*

Sie werden nie über diesen Punkt einig werden. *They will never agree on this matter.*

Er hat sich bereit erklärt, die Stellung anzunehmen. *He has agreed to take the job.*

Es ist unmöglich mit ihm auszukommen. *It is impossible to agree with him.*

Gurken bekommen mir nicht. *Cucumbers do not agree with me.*

Topp ! (Abgemacht ! — Es gilt !) *Agreed !*

Exercise

(*a*) ANN. Very good. Please wrap it up for me.

ASSISTANT. Shall I have it sent, madame ?

ANN. No, it doesn't matter. When do the sales begin ?

ASSISTANT. Next week, beginning on Wednesday.

(*At the Desk*)

CASHIER. Have you the bill ?

ANN (*feeling in her bag and looking about on the floor*). I must have dropped it somewhere—no, here it is !

CASHIER. 35 marks, please.

ANN. Can you change this 100-mark note ?

CASHIER. Certainly ! Here is your change : 65 marks. And here is your receipt, madame.

ANN (*putting receipt and change in her bag*). I want a pair of stout walking shoes—can you direct me to the shoe department ?

CASHIER. Second floor, on the left.

(b) This material wears well. What a heavenly dress !
It fits like a glove. It is well-tailored. Yes, my dress-
maker is excellent. Do you always buy ready-made ? No,
I usually have my suits made to measure. This double-
breasted jacket is a bit too tight under the arms. The few
small alterations that are necessary are included in the
price. I was caught in the rain yesterday and the creases
in my pleated skirt have come out. You can quite easily
have it pressed again. Gloves, sir ? What size ? Six and
three-quarters, please. I want something like this, in silk.
My, you do look dressed up to the nines ! Have you come
into some money ?

Extract

Aus der „ Geschichte Ludolf Ursleus des Jüngeren " •

10. *Kapitel*

Einmal besuchte ich aus Neugierde das Kollegium eines
Professors, welcher über ein schwieriges philosophisches
Thema las. In den Reihen seiner Zuhörer bemerkte ich
ein junges Mädchen, welches mir trotz meiner Vorurteile
ungemein anziehend vorkam, von schönem slawischem
Typus, mit völlig farblosem ovalem Gesicht, um das herum
kurze, leidenschaftliche Locken der schwärzesten Färbung
fielen. Ihre Augen voll trauriger Schwärmerei hingen
unverwandt an den Lippen des Professors, und ich konnte
nicht umhin, das junge Wesen zu bewundern, das diese
trockenen und spitzfindigen Dinge so emsig verständnisvoll
in sich aufnahm. Ich besuchte diese Vorlesung nun regelmässig, und zwar einzig, um mich an dem Anblick des
Mädchens zu weiden ; denn ich muss sagen, dass ich immer,
und vorzüglich damals, zu trägen und prachtliebenden
Geistes war, als dass ich mich gern in abstrakte Philoso-
pheme vertieft hätte. Die melancholische Schönheit mit
so viel Geistesschärfe vereint bestrickte mich gänzlich, und
ich fasste den Entschluss, die Bekanntschaft der Fremden
zu machen, was auch mit keinerlei Schwierigkeiten verbunden war. Sie benahm sich artig und fein, war sogleich
sehr zutraulich gegen mich und hiess Vera mit einem

* Insel Verlag, Leipzig.

langen, schweren, russischen Geschlechtsnamen. Meine
Unfähigkeit, denselben richtig auszusprechen, gab mir den
Vorwand, sie Fräulein Vera zu nennen, was sie mir auch
lächelnd gestattete. Ich fing zuerst an, mit ihr über die
in der Vorlesung behandelten Themata zu reden ; da aber
erklärte sie mir sogleich, sie besuche dieselbe nicht des
Inhalts wegen, sondern nur, um deutsch sprechen zu hören ;
denn sie sei der Sprache noch nicht ganz mächtig ; sie hätte
aber gehört, dass der betreffende Professor ein besonders
gutes Deutsch rede, und deshalb gehe sie in alle seine
Vorlesungen. Da ich nun mehr Teilnahme für die Verhältnisse der studierenden Russenkolonie hatte, achtete ich
auch mehr auf das, was von ihnen erzählt wurde, und
darunter wiederholte sich am häufigsten der Bericht von
der grossen Armut dieser unglücklichen Menschen, die
wirklich den Genuss der Wissenschaft mit Entbehrungen
des eigenen Leibes erkauften, wie die braven deutschen
Gelehrten zur Zeit des Humanismus. Auf einmal kam es
mir in den Sinn, dass die blutlose Blässe des geliebten
Gesichtchens von unzureichender Ernährung herrühren
könne, und wohl wissend, wie jämmerlich ich selbst mich
in solcher Lage benehmen würde, ergriff mich ein un-
behagliches Mitleiden, und ich beschloss, dies keinen Tag
länger mit anzusehen. Die zarteste Art, ihr zu helfen,
schien mir die zu sein, dass ich sie zu Spaziergängen auf den
nahen Berg einlud, wobei es sich dann von selbst ergeben
würde, dass wir in einem schön gelegenen Wirtsgarten
einkehrten und etwas genossen. Es glückte mir so vortreff-
lich, wie ich nur hatte hoffen dürfen. Sie ging willig mit
mir, war auch so schwächlich und des Wanderns so un-
gewohnt, dass sie bald auszuruhen verlangte und mir sogar
noch einen Rat gab, wo wir am schönsten und besten
einkehren könnten. Es war ein freundliches, von Pappeln
umgebenes Haus zwischen Weinbergen, von wo wir die
rauchende, emsige, weithinlaufende Stadt tief unter uns
sahen und in östlicher Ferne die silbergraue, zackige Linie
der Alpen. Ich bestellte Wein, Brot und Käse ; mehr
wagte ich nicht. Veras Augen leuchteten, und während
des Essens und Trinkens wurde sie sehr aufgeräumt und
plauderte mit behendem Zünglein, was ich nur hören
mochte : von ihren Eltern, ihrer Heimat, den dortigen
Zuständen, den Nihilisten und Anarchisten.

Correspondence

Gesellschaftliche Einladungen

Ich bitte Sie, nächsten Sonntag, den 4. Juni, um 7 Uhr bei mir zu speisen.

Wenn Sie nichts Besseres (nichts Besonderes) vorhaben, machen Sie mir bitte das Vergnügen, am 4. Februar zu einem gemütlichen Herrenabend (zu einem Sing- und Tanzabend) zu uns zu kommen.

Ich erlaube mir (gestatte mir, beehre mich, Ich gebe mir die Ehre), Sie und Ihre Frau Gemahlin auf nächsten Dienstag, den 6. April, 4 Uhr zum Tee ergebenst einzuladen (zu uns zu bitten).

Förmlich

Herr W. (Frau H.) bittet⎤ Sie (und Ihre Frau Gemahlin)
Herr und Frau G. bitten⎦ Herrn (und Frau) K. (mit Ihrem Fräulein Tochter) —
Herr und Frau Z. bitten Frau B. (Fräulein von A.) —
— zum Tee (Mittagessen, Abendessen (im kleinen Kreise), zum einfachen Mittagessen (Abendessen) am 6. April um . . . Uhr.
U.A.w.g. (=Um Antwort wird gebeten).

Antworten auf Einladungen

Zusagend :

Empfangen Sie meinen besten Dank für Ihre freundliche Einladung zum Mittwoch, den 30sten November. Ich werde Ihrer Aufforderung mit Vergnügen nachkommen.

Wir danken für die freundliche Einladung zum Abendessen am Freitag, den 18. Juni, und freuen uns, einige Stunden bei Ihnen verbringen zu können.

Von Ihrer freundlichen (liebenswürdigen) Einladung zum geselligen Abend am Mittwoch, den 1. (ersten) Mai, mache ich mit Vergnügen Gebrauch. Ich werde zur festgesetzten Stunde zur Stelle sein.

Absagend :

Empfangen Sie für Ihre freundliche Einladung meinen herzlichsten Dank. Leider (Zu meinem Bedauern) kann ich ihr nicht Folge leisten, (bin ich nicht imstande, sie anzunehmen, — ist es mir nicht möglich, ihr nachzukommen,) da ich (weil ich) an diesem Abend dienstlich verhindert bin (für einige Tage geschäftlich verreisen muss — für diesen Abend bereits anderweitig zugesagt habe — eben an diesem Abend Besuch erwarte — stark erkältet (schwerkrank) bin und das Zimmer hüten muss — an diesem Tage beim Zahnarzt angemeldet bin).

LESSON VII

Conversation

Im Theater

ANN. Was wird heute abend im Alten Theater gespielt ?

IRMA. Weiss nicht, meine Liebe. Wo ist die Zeitung, wir wollen mal nachsehen. Hier steht es, auf Seite 8 : Altes Theater, Richard-Wagner-Platz — Fernruf 21416. Mittwoch, 27. Juli : Faust, Erster Teil, Tragödie von Johann Wolfgang Goethe.

ANN. Ja, das muss ich unbedingt in Deutschland gesehen haben. Um wieviel Uhr fängt die Vorstellung an ?

IRMA (*liest aus der Zeitung*). Einlass 19½ Uhr, Anfang 20 Uhr, Ende gegen 23 Uhr. Du hast „ Faust " wohl noch nie gesehen ?

ANN. Doch, in London, aber es war nur eine Dilettantenaufführung. Du willst mitgehen, ja ?

IRMA. Selbstverständlich, wenn du nichts dagegen hast. Ich kann dir nicht erlauben, allein ins Theater zu gehen, da ich deiner Mutter versprochen habe, mich ihrer Tochter sorgfältig anzunehmen.

ANN. Das ist ja alles Quatsch ! Meine liebe Mutter hat sich in den Kopf gesetzt, dass ich noch ein richtiger Backfisch bin, und es war erst in letzter Minute, dass sie sich bereit erklärte, mich allein hierher kommen zu lassen.

IRMA. Na, so furchtbar wild und grausam sind wir wirklich nicht, aber vielleicht hatte sie recht. Aber um die Sache kurz zu machen, da ich mich für halb elf beim Zahnarzt angemeldet habe —

ANN. So ? Lässt du dir einen faulen Zahn herausziehen ?

IRMA. Nein, so schlimm ist es nicht, aber zwei Zähne muss ich mir plombieren lassen. Nun also, soll ich die Plätze telefonisch bestellen, oder willst du lieber zum Theater gehen und die Karten selbst besorgen ?

ANN. Mir ist es gleich. Wann ist die Kasse offen ?

IRMA. Die Kassenstunden sind von 11 bis 1, dann

37

wieder von 5 bis 8 Uhr. Ich glaube, am besten wäre es, wenn du selbst zum Theater gingest.

ANN. Wie sind die Preise ?

IRMA. Die Theaterplätze in Deutschland sind nicht besonders teuer : von 2 DM. bis 12 DM.

ANN. Man kann also ziemlich oft ins Theater gehen, ohne viel Geld zum Fenster hinauszuwerfen.

An der Theaterkasse

ANN. Ich wünsche zwei Parkettplätze, in der Mitte, und nicht zu weit von der Bühne, wenn möglich.

KASSIERERIN. Bedauere sehr, das Parkett ist schon ausverkauft. Wir haben nur vier Parterrelogen übrig, oder vielleicht ziehen Sie eine linke Seitenloge vor ?

ANN. Sind die Mittellogen auch besetzt ?

KASSIERERIN. Leider ja. Sie können natürlich auch zwei Plätze auf der Galerie haben, wenn Sie wollen.

ANN. Nein, danke, im Olymp würde ich kaum hören können. Ich nehme bitte die Seitenloge. Wieviel macht das aus ?

KASSIERERIN. Neun Mark, bitte. . . . Danke schön.

Idiomatic Phrases

So viel weiss ich schon. *I know that already.*

So viel steht fest. *This much is certain.*

Er spricht fliessend deutsch. *He speaks fluent German.*

Wir sind fertig miteinander ! *It is all over between us !*

Das wäre eine nette Geschichte ! *That would be a nice thing indeed !*

Der Direktor wünscht Sie zu sprechen. *The director wants to have a word with you.*

Ich freue mich auf die Ferien. *I am looking forward to the holidays.*

Ich freue mich über deinen Erfolg. *I am very pleased with your success.*

Es hat keinen Zweck zuzusehen, du musst selbst versuchen. *It's no use your looking on, you must try yourself.*

Exercise

(a) Shortly before the commencement of the play Ann and Irma enter the foyer of the theatre. In the cloakroom they give up their raincoats, receive numbered tickets in exchange and then go to the mirror to set their hair in place and to dab their noses with their powder-puffs. On the carpeted staircase they buy a programme from one of the attendants standing about and are shown to their places.

The lights are dimmed. Goethe's world-famous tragedy begins. During the play they sit quiet and attentive. In the auditorium smoking is forbidden and after the bell is rung before the play begins nobody ever speaks. During the interval Ann and Irma make their way into the refreshment room. Here they get coffee, sandwiches and an ice-cream at the marble counter and converse on the play, on Faust, on Goethe and everything they can think of.

(b) This word is no longer used. That is a most unusual sight. He came home drunk as usual. These soldiers have not even been taught the use of a gun. I used to play the piano every day, now I never touch the keys. She was not used to such hard work. I wonder you do not give the job up. We all admired his wonderful physique. He was wounded at the Battle of Matapan. It is no use your running, the train has already left. What's the use of arguing with a man like that ? He was wearing his usual sour expression.

Extract

Aus „ Die Fürstin " *

39. Kapitel

„ Mancherlei Tiere sehen Sie hier," sagte Professor Kostomarow, und sie blieben irgendwo stehen, „ Fische, Muscheln, Schnecken, kleine Krebse, Schlangensterne, alles mögliche — alle recht merkwürdig und interessant, wenn man ein wenig versucht, ihre Lebensgewohnheiten kennen-

* Ernst Rowohlt Verlag, Berlin.

zulernen. Wir bekommen ja auch mitunter Besuch von
Fremden, die dann hier herumstehen und hineinschauen
und sich eigentlich langweilen und wenig begreifen. Aber
viel Besuch bekommen wir nicht. Es ist wahrscheinlich zu
amüsant an der Küste. Und ausserdem — mit den grossen
Anstalten, mit der in Neapel zum Beispiel, kann sich unser
Haus natürlich nicht vergleichen. Früher war es einmal
ein Verwaltungsgebäude unserer russischen Regierung,
als noch die Kohlenstation für die Flotte hier existierte.
Nun, das ist langweilig, was ich da erzähle . . ."

„ O gar nicht," sagte Matthias artig.

„ Ich wollte nur sagen : die Fremden haben eigentlich
recht, wenn sie sich nicht eben in Scharen herbeidrängen.
Manche von unseren jungen Herren, die fleissig arbeiten,
ärgern sich sogar, wenn doch jemand kommt. Sie sollten
nur hören, Herr Matthias, wie mein Assistent Jegornow
die Fremden kopiert, besonders die Damen : „ Ah, Gaston,
regardez donc les jolies couleurs. Comme c'est délicat, ce
joli vert-là ! " Herr Kostomarow rundete den Mund und
sprach so niedlich er nur konnte, aber dann liess er es und
sagte lächelnd : „ Das ist nichts, ich habe kein Talent,
Jegornow müssen Sie hören." Matthias lachte ein wenig.
Er dachte an das Paar im Speisewagen des Express. Wie
lange war das schon her ?

„ Dies hier ist ein schönes Becken, nicht wahr ? " sagte
Herr Kostomarow. „ Grosse Aktinien, seltene Arten zum
Teil. Sie sehen doch ganz aus wie Blumen, alle die
Geschöpfe, die hier an dem Felsstück haften und so sanft
ihre Arme bewegen. Seenelken, Seerosen, Seeanemonen
. . . hübsche Namen. Aber sie leben nicht wie die Blumen.
Sehr gefrässig sind sie, niemals bekommen sie genug.
Und die Blütenarme sind Fangarme. Nun, das wissen Sie
wahrscheinlich alles schon . . . Aber wozu, glauben Sie,
Herr Matthias, sind die nun alle auf der Welt ? Könnte
die Welt nicht ganz gut ohne sie bestehen ? Aber sie
besinnen sich alle gar nicht darüber . . ."

Wieviel er spricht, um mich zu trösten, dachte Matthias
dankbar. Und tröstet er mich nicht wirklich schon ein
wenig . . . ?

„ Und wie hängen sie alle an ihrem Dasein, „ fuhr der
Professor im Weiterschreiten fort, „ glauben Sie nur, die
lieben ihr Leben, und es fällt ihnen nicht ein, zu überlegen,
ob sie es auch verdienen. . . ."

Commercial Correspondence

Bewerbungen

Hiermit erlaube ich mir, Ihnen meine Dienste als Korrespondent anzutragen.

Auf Grund Ihrer Anzeige (Ihres Inserats) in der ,, Frankfurter Zeitung '' . . .

Unter Bezug (Bezugnehmend) auf Ihre Anzeige vom 6. April . . .

. . . erlaube ich mir (gestatte ich mir), mich um den Posten eines Buchhalters zu bewerben.

Ich erlaube mir, mich um die freie (offene, erwähnte, ausgeschriebene) Lagerverwalterstelle zu bewerben.

Da ich in einem grossen Hause meine Erfahrungen erweitern möchte, . . .

Da ich meine Kenntnisse in der deutschen Sprache verwerten möchte, . . .

Da ich mich gern einige Zeit (Jahre) im Ausland umsehen möchte, . . .

Da ich die nötige (notwendige) Erfahrung besitze, . . .

Da ich die verlangten Kenntnisse (Fähigkeiten) zu besitzen glaube, . . .

. . . (so) erlaube ich mir, mich für die freie Stelle zu melden.

Ich habe die M.-Schule in S. bis zur VI. Klasse besucht. Meine Lehrzeit verbrachte ich vom Monat September 1935 bis Januar 1938 bei der Firma Blankenveldt A.-G. (Aktien-Gesellschaft) in Solingen.

Ich war dann 3 Jahre im Hause Leonhard Thiessen G.m.b.H. (= Gesellschaft mit beschränkter Haftung) und bin jetzt seit 1941 bei . . . als Reisender (Buchhalter, Geschäftsführer, Korrespondent, Sekretär, Stenotypist, Käufer, usw.) beschäftigt (tätig).

Vom . . . bis . . . war ich in demselben Hause als Kommis beschäftigt (tätig) und trat dann am 19. Mai 1940 in das Geschäft des Herrn Kochwitz ein. Während der letzten Jahre habe ich die Stelle eines Verkäufers bekleidet.

Seit 1940 bin ich als Reisender im Hause Götz und Co. tätig und bereise hauptsächlich Frankreich und Spanien.

LESSON VIII

Conversation

Eine Golfpartie

(SZENE : *Eine weit ausgedehnte, parkartige Landschaft mit grossen Rasenflächen, vereinzelten Baumgruppen, Hügeln, Schluchten, Wasserläufen, dazu Hindernissen wie auf einer Rennbahn, nämlich Hecken, Erdwällen, Gräben und flachen, mit Sand ausgefüllten Vertiefungen, den sogenannten Bunkern; im Hintergrund ein stattliches Klubhaus im Cottagestil.*

ANN *wird vom Berufsgolfspieler in die Geheimnisse des schwierigen Spiels eingeführt. Immer wieder muss sie versuchen, den Anfangsschlag, den Drive, auszuführen. Einen Ball nach dem anderen legt der unbeweglich-ruhige Lehrer vor sie hin, ohne je die kurze Pfeife aus dem Munde zu lassen. Einige Leute treten näher, was ANNS seelischem Gleichgewicht nicht gut bekommt. Doch muss man sich an Zuschauer gewöhnen. So mancher, der allein nicht schlecht spielt, verliert sofort in Gesellschaft die Nerven.*

Bei jedem Schlag ertönt aus dem unbeweglichen Munde des Trainers die Korrektur : ,, *Augenfehler. Wenn Sie den Ball nicht bis zum letzten Moment ansehen, können Sie ihn nicht treffen.*'' — ,, *Zu viel rechte Hand. Hier wird nicht Holz gehackt. Mit beiden Händen elastisch durchschwingen.*'' — ,, *Fussfehler.*'' — ,, *Körper ruhig halten. Nur in Schultern und Hüften drehen.*'' — ,, *Nach dem Schlage mit beiden Händen in der Richtung des fliegenden Balles durchschwingen.*''

DR. TELLERBACH *tritt herbei, von seinem Caddy begleitet. Er sieht einige Minuten zu.*)

DR. T. (*zum* LEHRER). Sie finden es wohl manchmal langweilig, so auf einem Fleck zu stehen und immer dasselbe zu predigen ?

LEHRER (*lächelnd, ohne die Pfeife aus dem Munde zu nehmen*). Ja, manchmal schlimmer als Steineklopfen. Aber es hängt von den Umständen ab (*blickt zu* ANN *hinüber*).

DR. T. Ja, das kann ich leicht begreifen. Sie haben nichts dagegen, dass unsere junge Engländerin — oder vielmehr, junge Schottin — und ich eine Runde zusammen spielen ?

LEHRER. Nein, bei einer Anregung lernt man umso schneller. Die junge Dame sollte eigentlich schnell vorwärts kommen, da Schottland das Heimatland des Spieles ist.

(ANN *und* DR. TELLERBACH *ziehen mit ihren Balljungen, den Caddies, zum ersten Abschlag. Hier, auf einer etwas erhöhten Plattform setzt* DR. TELLERBACH *seinen Ball auf einen in den Rasen gesteckten Holznagel. Mit dem langen Driver, dem Anfangsschläger, spielt man nur von einer Unterlage, dem sogenannten „ Tee," aus — so erklärt* DR. TELLERBACH. *Eine rote Flagge flattert im Winde am Ziele in etwa 400 Meter Entfernung.* DR. TELLERBACH *wiegt den Driver mit dem Holzkopf ein paarmal in den Händen und holt dann zum Schwunge aus. Der Ball fliegt durch die Luft und bleibt dann in guter Richtung zum Ziel etwa 200 Schritt weit mitten auf der Bahn liegen. Sein Caddy postiert sich alsbald neben ihm.*

Sie begeben sich dann zum 50 Meter weiter vorwärts gelegenen Damenabschlag.)

ANN. Mit Ihnen kann ich mich gar nicht messen. Sie sind viel zu stark für mich. So eine Partie kann für Sie nicht besonders angenehm sein.

DR. T. Wieso denn ? Beim Golfspiel behindert ein schwächerer Spieler keineswegs den besseren, und wenn schon, der Reiz dieses eigenartigen Spieles beruht nicht nur im Abmessen der körperlichen Kräfte, sondern vor allem im Wandern im Freien und im geistigen Umgang mit gleichgesinnten Menschen — besonders, wenn der Mensch eine reizende junge Dame ist.

ANN. Meine Güte ! Wenn Sie so reden, lieber Herr Doktor, wird es mir ganz unmöglich sein, den Ball ausschliesslich im Auge zu behalten, da mein Interesse zwischen ihm und meinem geistigen Einfluss auf Sie hin- und hertreiben wird.

DR. T. (*lacht*). Sie brauchen keine Angst zu haben. Holznagel, Sandkegel oder Gummi-Tee ?

Idiomatic Phrases

Sie blieb da stehen und schrie aus vollem Halse. *She stood there screaming at the top of her voice.*

Ich habe es von guter Hand. *I have it on good authority.*

Was verschlägt's ?　*What does it matter ?*

Nichts will bei ihm anschlagen.　*Nothing does him any good (nothing has any effect on him).*

Das trifft auf den I-Punkt zu.　*That hits the nail on the head.*

Es ist mir eins (einerlei, gleich, egal).　*That's all one (all the same) to me.*

Es gibt zweierlei Brot.　*There are two kinds of bread.*

Das geht mich nichts an.　*That's no concern of mine.*

Exercise

(a) *At the Eating-house* (i)

Hans Hasenwinkel is on late turn.　As he missed his dinner by being asleep, he decides to take some suitable refreshment before going on night-duty.　He accordingly goes into a little eating-house.

A little later his old friend Kurt Bahlke sits down in front of him.

" You don't mind my joining you ? " asks Bahlke.

" Quite the reverse, it's a pleasure."

" Your pancake smells champion.　I'll order one myself. How's things, Hasenwinkel ?　I haven't set eyes on you for a long time."

" Very well, thank you."

" I saw you last night ; I went past you on my bike. You were walking along with Olga, and I thought at first she had been up to something again, but when I saw her just now with her lover I knew I had made a mistake."

Extract

Aus der Novellensammlung, „ Das Wunderkind " *

Schwere Stunde

Er stöhnte, presste die Hände vor die Augen und ging wie gehetzt durch das Zimmer.　Was er da eben gedacht, war so furchtbar, dass er nicht an der Stelle zu bleiben

* S. Fischer Verlag, Berlin.

vermochte, **wo ihm der Gedanke gekommen war.** Er setzte sich auf einen Stuhl an der Wand, liess die gefalteten Hände zwischen den Knieen hängen und starrte trüb auf die Diele nieder.

Das Gewissen . . . wie laut sein Gewissen schrie ! Er hatte gesündigt, sich versündigt gegen sich selbst in all den Jahren, gegen das zarte Instrument seines Körpers. Die Ausschweifungen seines Jugendmutes, die durchwachten Nächte, die Tage in tabakrauchiger Stubenluft, übergeistig und des Leibes uneingedenk, die Rauschmittel, mit denen er sich zur Arbeit gestachelt — das rächte, rächte sich jetzt ! Und rächte es sich, so wollte er den Göttern trotzen, die Schuld schickten und dann Strafe verhängten. Er hatte gelebt, wie er leben musste, er hatte nicht Zeit gehabt, weise, nicht Zeit, bedächtig zu sein. Hier an dieser Stelle der Brust, wenn er atmete, hustete, gähnte, immer am selben Punkt dieser Schmerz, diese kleine, teuflische, stechende, bohrende Mahnung, die nicht schwieg, seitdem vor fünf Jahren in Erfurt das Katarrhfieber, jene hitzige Brustkrankheit, ihn angefallen — was wollte sie sagen ? In Wahrheit, er wusste es nur zu gut, was sie meinte — mochte der Arzt sich stellen wie er konnte und wollte. Er hatte nicht Zeit, sich mit kluger Schonung zu begegnen, mit milder Sittlichkeit hauszuhalten. Was er tun wollte, musste er bald tun, heute noch, schnell . . . Sittlichkeit ? Aber wie kam es zuletzt, dass die Sünde gerade, die Hingabe an das Schädliche und Verzehrende ihn moralischer dünkte als alle Weisheit und kühle Zucht ? Nicht sie, nicht die verächtliche Kunst des guten Gewissens waren das Sittliche, sondern der **Kampf um die Not,** die Leidenschaft und der Schmerz !

Aus den „ Betrachtungen eines Unpolitischen " *

Die deutsche Romantik besass kein allgemein akzeptiertes Wort, das dem französischen „ bohémien " entsprochen hätte. Und was das Wort „ bourgeois " betrifft, so ist es freilich durch das kapitalistische Zeitalter internationalisiert worden, aber es mit „ Bürger " zu übersetzen, ist ein Literatenunfug. Die deutsche Romantik sprach vom „ Philister " ; aber Bürger und Philister : das ist nicht

* S. Fischer Verlag, Berlin.

nur ein Unterschied, es ist ein Gegensatz. Denn der Philister ist der wesentlich unromantische Mensch ; zur deutschen Bürgerlichkeit aber gehört unverbrüchlich ein romantisches Element : der Bürger ist romantischer Individualist, denn er ist das geistige Produkt einer überpolitischen oder doch vorpolitischen Epoche, einer Humanitätsepoche, in der, wie Turgenjew in seiner ,, Faust "-Kritik sagt, ,, die Gesellschaft in Atome zerfiel und bis zur eigenen Negation ging, in der jeder Bürger sich in einen Menschen verwandelte." Man nenne also — und man tut es ja heute — den Bürger in seiner geistigen Reinkultur einen Atomisten : diesen Begriff des atomistischen Bildungsindividualismus mit dem des Philistertums sich decken zu lassen, wird immer schwerfallen. Der Philister ist Spiessbürger, Staatsbürger und nichts als das, nichts darüber hinaus ; wie denn Schopenhauer, der den Staat für eine blosse Schutzanstalt gegen die eingeborene Unrechtigkeit des Menschengeschlechtes erklärt, auf ,, die Philosophaster " (nämlich Hegel) schimpft, ,, welche, in pompösen Redensarten, den Staat als den höchsten Zweck und die Blüte des menschlichen Daseins darstellen und damit eine Apotheose der Philisterei liefern." Der deutsche Bürger ist heute Staatsbürger, Reichsbürger, und der Krieg arbeitet mit Macht an der Vollendung seiner politischen Erziehung. Aber nie wird er Staatsphilister, Reichsphilister sein, nie glauben lernen, dass der Staat Zweck und Sinn des menschlichen Daseins sei, dass die Bestimmung des Menschen im Staate aufgehe, und ,, dass Politik menschlicher mache."

Commercial Correspondence

Bewerbungen — (Fortsetzung)

Mein jetziger Vorgesetzter (Chef, Prinzipal), Herr Soundso, ist gern bereit, Ihnen nötigenfalls nähere Auskunft über mich zu geben (zu erteilen).

Ich bitte Sie, bei den genannten Häusern (Firmen) sich näher über mich zu erkundigen, nur bitte ich meinem jetzigen Hause gegenüber noch um Verschwiegenheit, da ich meine Stelle noch nicht gekündigt habe.

Die Festsetzung des Gehalts möchte ich Ihrem Ermessen

überlassen. Ich mache nur darauf aufmerksam, dass ich
in meiner jetzigen Stellung wöchentlich (monatlich, viertel-
jährlich, jährlich) soundsoviel Mark beziehe (erhalte,
verdiene).

Was das Gehalt angeht, so wäre ich monatlich mit
(einem Anfangsgehalt von) soundsoviel Pfund zufrieden.

Was das Gehalt betrifft, beanspruche ich soundsoviel
Pfund monatlich.

Für den Fall, dass Sie gewillt (geneigt) sind, auf meine
Bewerbung näher einzugehen, bitte ich Sie mir mitzuteilen, ob (wann) ich bei Ihnen vorsprechen soll (darf,
kann).

Erkundigungen über Bewerber

Ein Herr Soundso bewirbt sich bei uns um eine An-
stellung als Buchhalter (um einen bei uns offenen Reise-
posten).

Der früher bei Ihnen als Korrespondent beschäftigte
Herr Soundso hat sich bei uns um eine Stelle als Stenotypist (um dieselbe Stellung in meinem Hause) beworben
und beruft sich dabei auf Sie (gibt Ihre Firma als Aus-
kunftsquelle (Referenz) an).

Wir erlauben uns deshalb, Sie um Ihr Urteil (Ihre
Meinung) über die Vertrauenswürdigkeit (Zuverlässigkeit,
Ehrlichkeit, Leistungen, Kenntnisse) (um Ihr Urteil über
den Charakter) des Bewerbers (des betreffenden Herrn)
zu bitten.

Wir danken Ihnen im voraus für Ihre Bemühungen
(Mitteilungen) und sichern Ihnen strengste Verschwiegenheit zu (versichern Sie unserer unbedingten Diskretion).

Auskünfte über Bewerber

Herr Soundso war vom . . . bis . . . bei uns tätig
(beschäftigt). Er ist ein fleissiger (strebsamer, zuverlässiger)
Angestellter. Er verfügt über gute kaufmännische Kenntnisse.

Wir können ihn daher aufs wärmste (in jeder Hinsicht)
empfehlen.

LESSON IX

Conversation

In dem Park

(ANN *liegt auf dem Gras unweit des kleinen Sees und liest
eine Novelle. Nicht weit entfernt spielen einige Kinder Ball,
lassen ihre Drachen steigen, laufen auf Rollern umher oder
amüsieren sich auf Wippen und Schaukeln. Am Rande des
Sees befindet sich ein Spiessbürger, der seine Angelsachen
auspackt. Seine kugelrunde Frau hat sich soeben auf das
Gras niedergelassen und zieht ihr Strickzeug hervor. Ihr
Sohn, ein komischer kleiner Kauz, versucht seinen elendig
aussehenden Drachen fliegen zu lassen. Ihre Tochter, allem
Anschein nach ein dummes Mädel von 12 Jahren, macht
gerade in diesem Augenblick einen Kopfstand am Rande des
Wassers. Folgendes Gespräch findet dann statt, mit ANN als
amüsierter Zuschauerin*) :*

SPIESSBÜRGER. Donnerwetter ! Dieser verfluchte Haken
ist mir wieder in den Finger gefahren !

KUGELRUNDE FRAU. Na, diesmal solltest du etwas Iod
darauf tun, du weisst, wie's dir letztes Mal ging.

S. O, 's ist nichts. Diese verdammten Würmer haben
eine zu zähe Haut !

K. F. Pfui Spinne ! Ich verstehe eigentlich nicht, wie
du die anrühren kannst.

S. (*nachdem er den lebendigen Köder auf seinen Haken
gespiesst hat*). Na also, da geht's los ! (*Wirft. Der Haken
reisst der* KUGELRUNDEN FRAU *den Hut weg. Der Hut landet
auf der Oberfläche des Wassers in einer Entfernung von etwa
10 Metern.*)

K. F. Das sieht dir ähnlich, du ausgezeichneter Tölpel !
Ich verstehe nicht, warum ich eigentlich mitgekommen
bin — mein Ohr tut mir noch weh vom letztenmal !

(SPIESSBÜRGER *sieht seine Frau zerschmettert an.*)

DUMMES MÄDEL (*kichert*). Sieh mal, da schwimmt Muttis
Hut auf dem Wasser !

K. F. Hör auf, du dumme Liese, und steig vom Zaun
runter, sonst fällst du wieder ins Wasser. (*Zu* S.) Du,

48

krieg den Hut heraus, bevor er völlig durchnässt ist ! Du bist ja wie der Elefant auf dem Tanzboden.

(JUNGE, *dem es gelungen ist, den Drachen steigen zu lassen, fängt an, danach zu laufen, indem er die Schnur mit der linken Hand hält, und die Augen vor der Sonne mit der rechten schirmt. Seine Füsse verfangen sich in der Angelschnur seines Vaters, er gleitet aus und fällt kopfüber unter die Blechbüchsen mit Würmern, Schwimmern, Haken und so fort.*)

S. (*ausser sich vor Wut und Angst*). Du armer Trottel ! Das stösst dem Fass den Boden aus ! (*Er blickt nach dem Hut, der von dem starken Wind weggetrieben wird.*) Du bist schuld daran, du blöder Esel ! Geh mir aus dem Wege, oder du kriegst eine, dass du dich zehnmal herumdrehst !

K. F. So etwas zu erleben hab' ich mir nie gedacht ! Kannst du nicht etwas tun, statt den armen Jungen anzubrüllen !

S. Ach, hör doch auf ! (D. M. *fällt vom Zaun und stürzt ins Wasser.*) Mein Gott ! Das fehlte noch !

(D. M. *erscheint auf der Oberfläche des Wassers, stösst ein ohrenbetäubendes Geheul aus und verschwindet wieder unter dem Wasser.*)

K. F. Du, spring ihr nach, du Feigling — wie kannst du da ruhig stehen und deine eigne Tochter ertrinken sehen !

Idiomatic Phrases

Wenn es Ihnen angenehm ist. *If you like (if it is agreeable to you).*

Ich weiss nur Liebes und Gutes von ihm. *I can only speak well of him.*

Ach, du liebe Zeit ! *Good gracious me !*

Tu es mir zu liebe. *Do it for my sake.*

Dieses Seetreffen wurde tongefilmt. *A sound picture was made of this naval engagement.*

Ich habe mich versprochen. *I made a slip of the tongue.*

Ich habe mir etwas versprochen. *I promised myself something.*

Ich habe mich verschrieben. *I made a slip of the pen.*

Das geht nicht. *That won't do (i.e. it is not allowed, it is impossible, it will not go (or work)).*

Exercise

(a) (JOHN CITIZEN *takes off his jacket and shoes and rushes to the water's edge. Girl appears again and emits a fearful shriek.*)

ROTUND WIFE. Heavens above ! She's going down for the last time !

(J. C. *jumps into the water and finally returns to the bank, puffing and blowing, with the unconscious girl. Mother and father take it in turns to give the daughter artificial respiration. The latter finally regains consciousness. Mother gives her a drink of hot coffee from a Thermos-flask. Boy approaches excitedly.*)

BOY. Dad—Dad !

J. C. What's up now ?

BOY. Look over there ! That notice says " No Fishing," and—and——

J. C. And what ?

BOY. Well, the park-keeper's coming——

J. C. Pack up my rod as quickly as you can without letting him see—and shove all the stuff under my mac.

(b) (ANN *looks at her watch. It is 3.15 and she has to fly off because she has an appointment with the hairdresser at 3.30. She would very much like to stay and see what happens about the hat and the fishing-rod but, unfortunately, this appointment must be kept. She is going to a dance this evening and she simply must have her hair trimmed and waved.*)

ANN (*to herself*). Now, if I were to tell the Tellerbachs all about that, they'd look upon it as just another tall story !

Extract

Aus „ Erlösungen " *

Selbstzucht

Mensch, du sollst dich selbst erziehen.
Und das wird dir mancher deuten :
Mensch, du musst dir selbst entfliehen,
Hüte dich vor diesen Leuten !

* S Fischer Verlag, Berlin.

Rechne ab mit den Gewalten
In dir, um dich. Sie ergeben
Zweierlei : wirst du das Leben,
Wird das Leben dich gestalten ?

Mancher hat sich selbst erzogen ;
Hat er auch sein Selbst gezüchtet ?
Noch hat keiner Gott erflogen,
Der vor Gottes Teufeln flüchtet.

Aus „ Weib und Welt "

Die Harfe

Unruhig steht der hohe Kiefernforst ;
Die Wolken wälzen sich von Ost nach Westen.
Lautlos und hastig ziehn die Kräh'n zu Horst ;
Dumpf tönt die Waldung aus den braunen Ästen,
Und dumpfer tönt mein Schritt.

Hier über diese Hügel ging ich schon,
Als ich noch nicht den Sturm der Sehnsucht kannte,
Noch nicht bei eurem urweltlichen Ton
Die Arme hob und ins Erhabne spannte,
Ihr Riesenstämme rings.

In grossen Zwischenräumen, kaum bewegt,
Erheben sich die graugewordnen Schäfte ;
Durch ihre grüngebliebnen Kronen fegt
Die Wucht der lauten und verhaltnen Kräfte
Wie damals.

Und eine steht, wie eines Erdgotts Hand
In fünf gewaltige Finger hochgespalten ;
Die glänzt noch goldbraun bis zum Wurzelstand
Und langt noch höher als die starren alten
Einsamen Stämme.

Durch die fünf Finger geht ein zäher Kampf,
Als wollten sie sich auseinanderzwängen ;
Durch ihre Kuppen wühlt und spielt ein Krampf,
Als rissen sie mit Inbrunst an den Strängen
Einer verwunschnen Harfe.

Und von der Harfe kommt ein Himmelston
Und pflanzt sich mächtig fort von Ost nach Westen.
Den kenn ich tief seit meiner Jugend schon :
Dumpf tönt die Waldung aus den braunen Ästen :
Komm, Sturm, erhöre mich !

Wie hab' ich mich nach einer Hand gesehnt,
Die mächtig ganz in meine würde passen !
Wie hab' ich mir die Finger wund gedehnt !
Die ganze Hand, die konnte niemand fassen !
Da ballt' ich sie zur Faust.

Ich habe mit Inbrünsten jeder Art
Mich zwischen Gott und Tier herumgeschlagen.
Ich steh und prüfe die bestandne Fahrt :
Nur eine Inbrunst lässt sich treu ertragen :
Zur ganzen Welt.

Komm, Sturm der Allmacht, schüttel den starren Forst !
Schüttelst auch mich, du urweltliches Treiben.
In scheuen Haufen zieh'n die Kräh'n zu Horst.
Gib mir die Kraft, einsam zu bleiben,
Welt !—

Commercial Correspondence

Bewerbungen — (Fortsetzung)

Ich habe mir praktische Kenntnisse auf folgenden
Gebieten erworben :
Ich bin ein flotter Verkäufer.
Ich bin mit allen einschlägigen Arbeiten, besonders der
Korrespondenz und der doppelten Buchführung, voll-
ständig vertraut.
Ich besitze gründliche Kenntnisse in der einfachen
(doppelten) Buchführung (in der Korrespondenz, in der
Lagerverwaltung, im Rechnungswesen).
Ich hatte hauptsächlich das Einkaufsbuch (Verkaufs-
buch, Kassenbuch, Hauptbuch) zu führen.
In den letzten Jahren hatte ich besonders den Verkehr
mit der Kundschaft zu besorgen, und neben den Konto-
arbeiten musste ich bisweilen Geschäftsreisen unternehmen,
bei denen ich gute Erfolge erzielte.

Ich bin genau (oberflächlich) bekannt mit folgenden Handelsartikeln (Geschäftszweigen).

Warenkenntnisse besitze ich in . . . und kenne darin auch die Bezugsquellen.

Ich spreche und schreibe geläufig Französisch, Deutsch und Spanisch.

Der italienischen Sprache bin ich in Schrift und Wort vollkommen mächtig.

Die deutsche Sprache beherrsche ich so weit, dass ich selbst einen schwierigen Briefwechsel darin führen kann (leichtere kaufmännische Briefe schreiben kann).

Ich bin ein flotter Stenograph, System Pitman, und schreibe etwa 220 Silben in der Minute.

Ich bin auf der Schreibmaschine durch sechsjährige Praxis geübt.

Ich stehe im 27. Lebensjahr.

Mein Eintritt kann zu jeder gewünschten Zeit erfolgen.

Anbei sende ich Ihnen meine Zeugnisabschriften mit Lichtbild.

Über meine Fähigkeiten und Leistungen (bisherige Tätigkeiten), sowie über mein Betragen (meinen Charakter) geben beiliegende Zeugnisse Auskunft.

LESSON X

Conversation

Das Auto : der Herrenfahrer

(DR. TELLERBACH *spricht mit einem Nachbarn über dessen Auto. Der letztere ist mit einigen kleinen Reparaturen beschäftigt.*)

DR. T. Nun, wie geht's mit dem Auto ?

N. Ach, nicht so schlecht. Das Schlimmste dabei ist, wenn man ein gebrauchtes Auto gekauft hat, dass man niemals weiss, was zunächst kaputt gehen wird.

DR. T. Hoffentlich verbringen Sie nicht den halben Tag auf dem Rücken unter dem Wagen am Strassenrande !

N. So schlimm ist es nicht. Aber ich bin in diesen Sachen kein Fachmann und ich vergesse immer etwas, was mir unnötige Mühe macht.

DR. T. Nun, es ist ziemlich leicht, ohne Öl zu fahren, bis man durch ein heftiges Klopfen gewahr wird, dass etwas los ist. Aber man kann niemals zu weit ohne Benzin fahren. (*Er hebt die Haube und guckt hinein.*) Der Motor scheint ganz in Ordnung zu sein. Steigt er gut ?

N. O ja. Gestern fuhr ich einen steilen Hügel hinauf — mit einer Steigung von 10 Prozent, glaube ich — und kam ganz leicht im zweiten Gang oben an. Er bringt es auf 80 Kilometer in der Stunde auf einer ebenen Strasse, aber es sind die Kleinigkeiten, die immer kaputt gehen, wie zum Beispiel der elektrische Scheibenwischer, die Richtungsanzeiger und so fort. Gestern wurde es mir teufelsmässig schwer, den Motor überhaupt anzulassen. Mit dem Anlasserknopf war nichts zu machen, und bei vergeblichen Versuchen, das verfluchte Ding anzukurbeln, verrenkte ich mir beinahe den Arm.

DR. T. Hm, es scheint an einer verbrauchten Batterie zu liegen.

N. Kann nicht sein — ich habe sie ja letzten Sonntag laden lassen.

DR. T. Lieber Freund, wenn die Zinkplatten verbraucht sind, hat es gar keinen Zweck, die Batterie laden zu lassen.

Sie können sie mit neuen Platten versehen lassen, aber am
besten wäre es, wenn Sie sie in den Kehrichtkasten werfen
und eine neue Batterie kaufen. Ich werde Ihre Batterie mal
ansehen, ich werde Ihnen im Nu sagen können, ob sie
unbrauchbar geworden ist. Aha, eine französische Marke !
Das Auto, meine ich. Keine Schwierigkeiten mit den
Ersatzteilen ?

N. Nein, die sind in jeder erstklassigen Garage zu
haben. Mein Panhard-Levassor kann sich selbstverständlich nicht mit Ihrem Mercedes 40 PS (Pferde-Stärke)
Sportmodell messen, aber im ganzen bin ich damit ziemlich
zufrieden. Ich bin kein Kilometerfresser, wie Sie.

Dr. T. (lacht). Nun, ich muss freilich zugeben, dass ich
gerne Gas gebe. Allewetter ! Ihre Stossdämpfer sind ein
bisschen beschädigt, nicht wahr ! Und wo ist denn Ihre
Schlusslaterne und das Nummernschild ?

N. (etwas verlegen). O, ja — das ist gestern abend
geschehen. Ich habe das Nachtfahren nicht sehr gern —
kann nicht sehr gut sehen und werde immer von den
Scheinwerfern der heranfahrenden Autos geblendet. Nun
also, gestern abend wurde ich dermassen geblendet, dass
ich den Wagen zum Stehen bringen musste, bis der andere
Kerl vorbeigefahren war. Dann trat ich wieder auf den
Anlasserknopf, aber aus Versehen war ich im Rückwärts-
gang und in meiner Verlegenheit hab' ich beschleunigt
statt abzudrosseln. Und eh' ich's mich versah, war ich
gegen eine Steinmauer gefahren.

Dr. T. (laut lachend). Nun, es ist schon ein Glück, dass
man heutzutage eine Prüfung ablegen muss, ehe man
einen Führerschein bekommen kann.

Idiomatic Phrases

Ich täte es lieber selbst. *I would rather do it myself.*
Er ist mir deshalb umso lieber. *I like him all the more for it.*
Ich habe dich ja so lieb. *I do love you so.*
Er ist mein Lieblingsfilmschauspieler. *He is my favourite
film actor.*
Er sah ganz verblüfft aus. Kam er so glimpflich davon ?
*He looked quite amazed. Was he going to get away with it
so easily ?*
So viel mir erinnerlich ist. *As far as I can remember.*

So viel ich weiss. *As far as I know.*

Er lässt sich nicht zweimal bitten. *He does not require to be asked twice.*

Der Kampf um die Beherrschung des Luftraums ist jetzt in vollem Gange. *The struggle for air supremacy is now in full swing.*

Exercise

DR. TELLERBACH. I've nothing on this morning, I'll give you a hand, if you like, and we'll give the car a thorough overhaul. I dare say your plugs are sooted up and the carburettor choked, and if I were you I should buy a new tyre. I see your spare-wheel tyre is flat, and with that front nearside tyre like that, you'll be having a breakdown every time you go out.

NEIGHBOUR (*with a gesture of weariness*). A car is more than an expensive luxury—it's an insatiable maw ! Well, I suppose I shall have to look forward to a whacking bill from the garage.

(*Two hours later*)

DR. T. There you are ! The speedometer on the dashboard is already showing a decent speed and the humming of the engine scarcely audible ! We'll fill up with petrol at the next filling-station and then run over to the White Horse at Siebenkirchen and push back a few pints. What do you say ?

NEIGHBOUR. O.K. by me. Look out, slow down a bit, old boy, we're coming to a hair-pin bend and we don't want to land up in the ditch.

DR. T. (*absently, as he steps on the accelerator*). What ? Oh, that's nothing. What a nervous kitten you are ! I know how to drive.

Extract

*Aus „ Michael Kramer " **
Schluss des letzten Aktes

LIESE BÄUSCH. Herr Kramer, ich, ich, ich . . . Ich . . . ich bin ja so unglücklich. Die Leute — zeigen — mit Fingern auf mich . . .

(*Pause.*)

* S. Fischer Verlag, Berlin.

KRAMER (*halb für sich*). Wo sitzt das nun, was so tödlich
ist ? Und doch, wer das einmal erfährt und lebt, der
behält einen Stachel davon im Handteller, und was er auch
anfasst, so sticht er sich. — Aber gehn Sie nur getrost nach
Haus ! Zwischen dem da und uns ist Friede geworden !

(MICHALINE *mit* LIESE BÄUSCH *ab.*)

KRAMER (*versonnen in den Anblick des Toten und in die
Lichter*). Die Lichter ! Die Lichter ! Wie seltsam das ist !
Ich habe schon manches Licht verbrannt ! Schon manches
Lichtes Flamme gesehn, Lachmann. Aber hör'n Se *:
Das ist ein andres Licht ! ! — Mach ich Sie etwa ängstlich,
Lachmann ?

LACHMANN. Nein. Wovor soll ich denn ängstlich
sein ?

KRAMER (*sich erhebend*). Es gibt ja Leute, die ängstlich
sind. Ich bin aber doch der Meinung, Lachmann, man soll
sich nicht ängsten in der Welt. Die Liebe, sagt man, ist
stark wie der Tod. Aber kehren Sie getrost den Satz mal
um : Der Tod ist auch mild wie die Liebe, Lachmann.
— — — Hör'n Se, der Tod ist verleumdet worden, das ist
der ärgste Betrug in der Welt ! ! Der Tod ist die mildeste
Form des Lebens : der ewigen Liebe Meisterstück. (*Er
öffnet das grosse Atelierfenster. Leise Abendglocken. Frost-
geschüttelt.*) Das grosse Leben sind Fieberschauer, bald
heiss, bald kalt ! — — Ihr tatet dasselbe dem Gottessohn !
Ihr tut es ihm heute wie dazumal ! So wie damals, wird er
auch heut nicht sterben ! — — — Die Glocken sprechen,
hören Sie nicht ? Sie erzählen's hinunter in die Strassen :
Die Geschichte von mir und meinem Sohn. Und dass
keiner von uns ein Verlorner ist ! — Ganz deutlich versteht
man's, Wort für Wort. Heut ist es geschehen, heut ist der
Tag ! — Die Glocke ist mehr als die Kirche, Lachmann ! Der
Ruf zum Tische ist mehr wie das Brot ! — (*Die Beethoven-
maske fällt ihm in die Augen, er nimmt sie herab. Indem er
sie betrachtet, fährt er fort.*) Wo sollen wir landen, wo treiben
wir hin ? Warum jauchzen wir manchmal ins Ungewisse ?
Wir Kleinen, im Ungeheuren verlassen ? Als wenn wir
wüssten, wohin es geht. So hast du gejauchzt ! — Und was
hast du gewusst ? — Von irdischen Festen ist es nichts ! —
Der Himmel der Pfaffen ist es nicht ! Das ist es nicht und

---

* *Sie* and *du* are often colloquially pronounced *Se* and *de* in in-
versions like the above.

jen's ist es nicht, aber was . . . (*mit gegen Himmel erhobenen
Händen*) was wird es wohl sein am Ende ?
(*Der Vorhang fällt.*)

Aus dem Schauspiel ,, Der arme Heinrich " *

Aus dem zweiten Akt

HEINRICH
(*wendet sich um und sieht Hartmann lange, gross und weh
an. Als er mit Sprechen beginnen will, ist ihm die Stimme
verrostet, er muss husten und aufs neue ansetzen*) :

Das Leben ist zerbrechliches Geräte,
mein Freund, sagt der Koran, und sieh, das ist's. —
Und dies hab' ich erkannt ! — Ich mag nicht wohnen
in eines ausgeblasenen Eies Schale. —
Und willst du Rühmens viel vom Menschen machen ?
wohl gar ihn Ebenbild der Gottheit nennen ? —
Ritz ihn mit eines Schneiders Scher' ! er blutet.
Stich eines Schusters Pfriem' ihm haarestief
hier in den Puls da oder da, auch dort,
auch hier, auch hier — und unaufhaltsam strömt,
nicht anders, wie das Brünnlein aus dem Rohr :
dein Stolz, dein Glück, dein adliges Gemüt,
dein göttlich Wähnen, deine Lieb', dein Hass,
dein Reichtum, deiner Taten Luft und Lohn,
kurz alles, was, törichten Irrtums Knecht,
du dein genannt ! Sei Kaiser, Sultan, Papst ! In Grabes-
        linnen
gewickelt bist du und ein nackter Leib,
heut oder morgen musst du drinn' erkalten.

Commercial Correspondence

Preisanfragen

Wie verkaufen Sie zurzeit . . .
Wie hoch kommt augenblicklich . . .
Wie teuer kommen im nächsten Monat . . .
. . . Ihre beste Dampfkohle per Tonne ?

                    * S. Fischer Verlag, Berlin.

. . . 2000 Tonnen Steinkohle ?

. . . 1000 Kilo Zitronensäure (kristallisiert) ?

Zu welchem Preise können Sie uns 1800 Kilo gedörrte, ausgewählte Feigen zurzeit liefern (ablassen) ?

Machen Sie uns gefl. (gefälligst) sofort (sogleich, so schnell wie möglich, möglichst bald) Angebot(e) zu äussersten Preisen in Gummireifen ?

Hiermit (Hierdurch) bitten (ersuchen) wir Sie uns, Ihren niedrigsten (äussersten) Preis für Nähmaschinen (in Braun-kohle) mitzuteilen (anzugeben).

Wir bitten (ersuchen) Sie, uns mitzuteilen, wie Sie augenblicklich (zurzeit, in diesem Monat) Baumwolle Middling verkaufen (abgeben, berechnen).

Wir bitten (ersuchen) um Zusendung Ihrer Preisliste (Ihres Preisbuches, Ihres Katalogs) in chemischen Pro-dukten.

Wollen Sie uns Ihr niedrigstes Angebot in Sicherheits-rasiermessern und Scheren angeben bei Abnahme (Bezug, Bestellung) von 20 000 der ersteren und 2 500 der letz-teren.

Wenn Sie uns stets Ihre niedrigsten Preise einräumen, werden wir unseren ganzen Bedarf bei Ihnen decken.

Wenn Ihr Preisansatz annehmbar ist, . . .

Wenn Preis und Güte Ihrer Ware unsern Beifall findet, . . .

Bei zufriedenstellenden Preisen (entsprechenden Lei-stungen) können wir Ihnen grössere Aufträge in Aussicht stellen (können Sie auf eine ansehnliche Bestellung rech-nen).

Telegramm : Drahtet (Kabelt) niedrigste Preise in raffiniertem Schwefel, berichtet über augenblickliche (vor-aussichtliche) Marktlage (Konjunktur).

LESSON XI

Conversation

Das Radio

(HERR ANDREW HAMILTON *sitzt in einem Lehnsessel und liest einen Detektivroman.* JEAN HAMILTON *liegt auf dem Diwan und durchblättert eine illustrierte Zeitschrift.* HERR PETER HAMILTON *tritt etwas stürmisch ein.*)

P. H.   Wisst ihr was ?   Ich habe eine Überraschung für euch !

A. H.   Nun also, schiess los, wir sind ganz Ohr.

P. H.   Ich habe einen Radioapparat gekauft !

J. H.   Um Gottes willen !   Warum ?

P. H.   Um Radio zu hören.   Nicht wahr, du hast ja gestern abend gesagt, dass du die Nachrichten aus London vermisst.

J. H.   Ja, freilich, aber es liegt mir nicht so sehr daran. Was für eine Marke ist es ?

P. H.   O, der Mann hat's mir gesagt — hab' es schon vergessen.   Ich hab' ihn bei Denner gekauft — ihr kennt wohl den Laden, wo es elektrische Geräte aller Art gibt — Heizkissen, elektrische Kocher, Eisschränke —

A. H.   Ach was, fass dich kurz, so viel wissen wir schon. Was für ein Apparat ist es — ein Detektorapparat, ein Traggerät oder —

P. H.   Bewahre !   Es ist ein 5-Röhrenapparat mit Zimmerantenne und allen modernsten Vorrichtungen.

J. H.   Braucht man eine Batterie oder diese furchtbaren Akkumulatoren, die dann und wann geladen werden müssen ?

P. H.   Zum Kuckuck !   Nein, es ist ein Netzanschlussempfänger.   Man steckt ein, stellt den Apparat ein, dreht die ollen Knöpfchen — und da habt ihr's !

J. H.   Wieviel kostet er ?

P. H.   O, nur eine Kleinigkeit.   500 Mark.   Ich fuhr beinahe aus der Haut, als der Mann den Preis erwähnte, aber er hat mir versprochen, den Apparat für 400 Mark zurückzukaufen, wenn wir abfahren.

A. H. Hoffentlich hast du kein schlechtes Geschäft gemacht.

P. H. Seh' ich aus wie ein Esel ? Natürlich bin ich kein Radiofachmann, aber niemand kann mir mein Geld abgaunern. Ich bestand darauf, dass er verschiedene ferne Sender einschaltete, wie Berlin, Rom, Moskau and London. Ich war völlig entzückt von der wunderbaren Abstimmungsschärfe.

J. H. Hat der Apparat ein Kurzwellenband ?

P. H. Freilich. Am Abend kann man sogar Amerika und China bekommen, gerade als ob es von nebenan käme.

J. H. Wann soll der Apparat ankommen — du hast ihn doch nicht etwa auf Raten gekauft ?

P. H. Sei doch nicht so dumm ! Gegen bares Geld, und der Apparat soll sofort kommen.

A. H. Haben wir hier Wechselstrom oder Gleichstrom ?

P. H. Keine blasse Ahnung, aber der Verkäufer hat mir versichert — (es klopft an der Tür). Herein !

DIENSTMÄDCHEN (tritt ein). Ein Mann ist unten, er sagt, er kommt, um einen Radioapparat einzurichten.

P. H. Schön ! Sagen Sie ihm bitte, Magda, er soll sofort heraufkommen.

(Der Mann tritt ein. Er trägt einen Radioapparat mit ein paar Meter Litze.)

MANN. Guten Abend, gnädige Frau — guten Abend. Wo soll der Apparat eingerichtet werden ?

(Nach einer kurzen Beratung werden sie über diesen Punkt einig und der Apparat wird von dem Manne im Nu eingerichtet und steht da, glänzend, nagelneu und gebrauchsfertig. Der MANN stellt den Apparat ein.)

DIE STIMME IM RADIO. Sie hörten ein Konzertstück von Mussorgski. Der Solist war Erich Böldes begleitet von dem Berliner Rundfunk-Orchester unter der Leitung von Hans Knappertsbusch. Hier ist Frankfurt mit den angeschlossenen Sendern. Wir geben die genaue Zeit. Es ist einundzwanzig Uhr und drei Sekunden. Mit dem Gongschlag ist es genau 21 Uhr und eine Minute — 10 Sekunden — 20 Sekunden — 21 Uhr und eine halbe Minute — 40 Sekunden — 50 Sekunden — 55 Sekunden — (Gong schlägt) — beim Gongschlag war es 21 Uhr und eine Minute. Wir geben Nachrichten. Am Mikrofon Hans Günther Schellenberg. Zunächst eine wichtige Meldung vom Wetteramt.

Idiomatic Phrases

Daraus kann ich nicht klug werden. *I cannot make head or tail of it.*

Kopf oder Adler ? (Kopf oder Schrift ?) *Heads or tails ?*

Diese Farbe sticht von der anderen zu sehr ab. *This colour clashes with the other.*

Seine Gesundheit hat einen Knacks bekommen, die Ärzte hatten ihm beinahe das Leben abgesprochen (*or more simply*, hatten ihn beinahe aufgegeben). *His health broke down, the doctors nearly gave him up.*

Ab und zu stand er auf und schritt nachdenklich im Zimmer herum. *Every now and then he got up and pensively paced round the room.*

Das ist lange nicht alles. *That's not all by a long shot.*

Seit wann sind Sie da beschäftigt ? *How long have you been employed there ?*

Es dauerte nicht lange, bis er eine Antwort bekam. *It was not long before he got a reply.*

Exercise

What's the News ?

Propaganda and Truth

(*a*) In a declaration broadcast over Peking Radio, the Chinese Ministry for Foreign Affairs has called upon the United States " to cease at once its armed intervention in South Vietnam and to evacuate forthwith all military personnel together with their weapons."

(*b*) Mr. Khruschev is said to be considering a new Berlin Plan as a basis for possible negotiations, the London " Observer " reports. The report is based on utterances of diplomats of the Eastern Block in Vienna.

(*c*) As a result of decisions taken at the Punta del Este conference, Cuba was henceforth formally excluded from the Organisation of American States.

(*d*) The Russians are continuing their pin-pricking tactics against freedom and safety in the air-corridors to West Berlin. In Soviet notes to the

Allies the West's right to free access to this air-space was disputed.

Although there has not yet been any interference with air traffic, Moscow obviously does not see any inconsistency in testing out the West's powers of resistance at this point whilst making conciliatory gestures in other cold war sectors.

(e) A strange argument is current among certain American experts. They are in favour of a resumption of atomic tests because they hope to prove that the idea of building rockets as a defence against atomic rockets is a practical impossibility.

Extract

Aus „ Also sprach Zarathustra "

Aus dem Nachtlied

Nacht ist es : nun reden lauter alle springenden Brunnen. Und auch meine Seele ist ein springender Brunnen.

Nacht ist es : nun erst erwachen alle Lieder der Lieben-den. Und auch meine Seele ist das Lied eines Liebenden.

Ein Ungestilltes, Unstillbares ist in mir ; das will laut werden. Eine Begierde nach Liebe ist in mir, die redet selber die Sprache der Liebe.

Licht bin ich : ach, dass ich Nacht wäre ! Aber dies ist meine Einsamkeit, dass ich von Licht umgürtet bin.

Ach, dass ich dunkel wäre und nächtig ! Wie wollte ich an den Brüsten des Lichts saugen !

Und euch selber wollte ich noch segnen, ihr kleinen Funkelsterne und Leuchtwürmer droben ! — und selig sein ob eurer Licht-Geschenke.

Aber ich lebe in meinem eignen Lichte, ich trinke die Flammen in mich zurück, die aus mir brechen.

Ich kenne das Glück des Nehmenden nicht ; und oft träumte mir davon, dass Stehlen noch seliger sein müsse als Nehmen.

Das ist meine Armut, dass meine Hand niemals aus-ruht vom Schenken ; das ist mein Neid, dass ich wartende Augen sehe und die erhellten Nächte der Sehnsucht.

O Unseligkeit aller Schenkenden ! O Verfinsterung meiner Sonne ! O Begierde nach Begehren ! O Heiss-hunger in der Sättigung !

C*

Sie nehmen von mir : aber rühre ich noch an ihre Seele ?
Eine Kluft ist zwischen Geben und Nehmen : und die
kleinste Kluft ist am letzten zu überbrücken.

Ein Hunger wächst aus meiner Schönheit : wehe tun
möchte ich denen, welchen ich leuchte, berauben möchte
ich meine Beschenkten : — also hungere ich nach Bosheit.

Die Hand zurückziehen, wenn sich schon ihr die Hand
entgegenstreckt ; dem Wasserfalle gleich zögernd, der
noch im Sturze zögert : — also hungere ich nach Bosheit.

Solche Rache sinnt meine Fülle aus : solche Tücke grillt
aus meiner Einsamkeit.

Mein Glück im Schenken erstarb im Schenken, meine
Tugend wurde ihrer selber müde an ihrem Überflusse !

Wer immer schenkt, dessen Gefahr ist, dass er die Scham
verliere ; wer immer austeilt, dessen Hand und Herz hat
Schwielen vor lauter Austeilen.

Mein Auge quillt nicht mehr über vor der Scham der
Bittenden ; meine Hand wurde zu hart für das Zittern
gefüllter Hände.

Commercial Correspondence

Angebote

Hiermit erlauben wir uns (Wir gestatten uns), Ihnen
unsere Preise für nichtsplitterndes Glas einzusenden.

Wir gestatten uns, Ihnen Muster einzusenden von
elektrischen Bügeleisen, die wir Ihnen zum Preise von
je DM. 2.75 (von DM. 200 per 100) anbieten können.

Wir erlauben uns hiermit, Ihnen nach beifolgenden
(gleichzeitig an Sie abgesandten) Proben (Mustern) Bun-
senbrenner zu DM. 80 per 100 freibleibend anzubieten.

Hiermit erlauben wir uns, Ihnen mit gleicher Post (bei-
geschlossen, einliegend) (separat) eine Probe (ein Muster)
Persenning zu senden. Wir können Ihnen dieses Tuch auf
sofortige Drahtzusage (umgehende Zusage) zu dem nied-
rigen Preise von DM. 20 per 100 Meter liefern.

Auf Ihre Anfrage (Ihren Brief) vom 6. April 1942 erlauben
wir uns Ihnen, anbei (hiermit, beifolgend, in der Anlage, als
Drucksache) eine ausführliche Preisliste unserer Waren
(unsere neueste Mustersammlung, unser neuestes Preis-
verzeichnis) zuzusenden (zuzuschicken, zu überreichen).

In der Hoffnung (Erwartung), bald mit Ihren Aufträgen beehrt zu werden.

Wir hoffen, dass sie (es) Ihnen zu baldigen Bestellungen Anlass (Veranlassung) geben wird.

Mit der Bitte, sie (es) einer genauen Durchsicht zu unterziehen.

Infolge günstiger Abschlüsse sind wir imstande, Ihnen unsere Preise für Armband- und Taschenuhren um 15 Prozent zu ermässigen.

In beiliegender Preisliste finden Sie auch die Preise unserer übrigen Erzeugnisse verzeichnet. Es würde uns freuen, wenn Sie auch hiervon Gebrauch machen wollen.

Schon lange (Seit längerer Zeit) vermissen wir leider (zu unserem grossen Bedauern) Ihre Bestellungen. Da wir uns stets angelegen sein liessen, Ihre Aufträge zu Ihrer vollen Zufriedenheit zu erledigen, hoffen wir, dass Sie den früheren Verkehr mit uns wieder aufnehmen werden.

LESSON XII

Conversation

Ein Ausflug nach Schloss Stolzenfels

(ANN *ist Pensionärin mit vollem Familienanschluss bei*
DR. TELLERBACH *in Ingolstadt.* IRMA TELLERBACH, *ein
reizendes, blondhaariges Mädchen von* 19 *Jahren, und* ANN
sind auf 4-*tägigem Besuch in Koblenz, wo sie sich bei einer
Tante von Irma aufhalten. Sie haben sich einen Ausflug
nach Schloss Stolzenfels vorgenommen, hoch oben in den
Hügeln, die sich an dem Ufer des Rheines erheben. Die
beiden Mädchen stehen schon auf vertrautem Fusse und
duzen einander.*)

IRMA. Nun müssen wir den Weg zur Landungsstelle
finden, wo die Boote liegen, die zwischen Koblenz und
Kapellen fahren.

ANN. Du warst wohl schon da ?

IRMA. Ich ? Nein — ich bin jetzt zum ersten Male
in Koblenz. Ich weiss schon, dass wir auf dem Kaiser-
Wilhelm-Ring sind — dieses rötliche Gebäude dort ist
das Stadttheater. Da kommt ein netter Schupo — wir
wollen ihn mal nach dem Wege fragen. Du kannst ihn
selbst fragen — es wird ihm besondes gefallen, einer so
schönen jungen Engländerin behilflich zu sein.

ANN. Erstens, ich bin keine Schönheit. Zweitens, ich
bin eine Schottin —

IRMA. Nur halb und halb, glaube ich.

ANN. Drittens, ich wusste nicht, dass ich deine deutsche
Sprache so fürchterlich radebreche. (*Sie hält inne, da der
Schupo herangekommen ist. Mit einem anmutigen Lächeln
redet sie ihn an.*) Entschuldigen Sie, Herr Wachtmeister,
wir wollen nach Kapellen mit dem Schiff fahren. Wo
befindet sich die Landungsstelle ? Wir sind beide zum ersten
Male in Ihrer schönen Stadt.

SCHUTZMANN (*lächelnd*). Freilich, gnädiges Fräulein.
Gehen Sie die erste Strasse rechts, und dann biegen Sie
nach links bei dem Verwaltungsgebäude da drüben, dann

geradeaus, bis Sie zur Landungsstelle am Rheinufer kommen. Ist das ganz klar ?

ANN. Ja, recht schönen Dank. (*Sieht* IRMA *triumphierend an.*)

SCHUTZMANN. Bitte schön, gnädiges Fräulein. Es freut mich sehr, einer jungen Engländerin zu helfen.

ANN (*sieht sehr niedergeschlagen aus, besonders weil* IRMA *in schallendes Gelächter ausbricht*). Woher wissen Sie, dass ich eine Engländerin — oder vielmehr, eine Schottin — bin ?

SCHUTZMANN (*lächelnd*). Ich kann Engländer fast immer an ihren Kleidern erkennen. Sehen Sie, ich habe nämlich, sieben Jahre in London gelebt. (*Er salutiert und geht weiter.*)

ANN. Siehst du, es war nicht wegen meiner Aussprache — es war nur deswegen, weil er luchsäugig ist.

IRMA. Meine liebe Ann, ich glaube, es waren nicht deine Kleider allein, die seine Aufmerksamkeit erregten, und ich muss ganz offen zugeben, dass dein Deutsch wirklich wunderbar ist. Aber hier gehen wir links.

Idiomatic Phrases

Dieser schlaue Politiker hängt immer seinen Mantel nach dem Winde. *This sly politician is always ready to change his coat.*

Das hat seiner Eitelkeit einen empfindlichen Stoss gegeben. *That gave his vanity a nasty jolt.*

Exercise

(*At the landing-stage they embark on a small steamer. Soon they are gliding along on the surface of mighty Father Rhine towards the village of Kapellen. During the journey they pay their fares.*)

ANN. It is beautifully cool out here after the fearful heat in the town.

IRMA. Yes. I find something uncommonly romantic and thrilling in skimming over the water. It is wonderful on the Rhine, when the moon is full and bathes the whole scene with its pale and ghostly light.

ANN. If you talk like that I shall begin to think you are the Lorelei in the flesh.

IRMA. A somewhat solid watersprite, I fear. But here we are already. Can you see the castle up there ?

ANN. Heavens above ! Have we to climb right up there ?

IRMA. As it's so hot, suppose we hire a couple of horses or donkeys, and afterwards we can walk down if we're not too tired.

ANN. That's an idea. I am not really afraid of the climb, but this heat is a bit too much. (*After a pause.*) You know, it's funny how that policeman guessed I was English.

IRMA. He was a nice chap, wasn't he ? But talking of policemen, our servant Hannelore goes out with a policeman. I don't think *he* can be very lynx-eyed.

Extract

Two Aspects of War

Hermann Sudermann : Aus „ Der Katzensteg "

Heimkehr der Krieger im Jahre 1814

Ein einziger Jubelschrei von Gibraltars Felsen bis zum Nordkap hallte gen Himmel auf. — An jedem Glocken-strange hing ein zappelnder Bursche, vor jedem Altar, aus jedem Kämmerlein erscholl ein Dankgebet. — Die Trauernden verkrochen sich, ihre Klagen erstickten die Lobgesänge, ihre Tränen sog die Erde mit demselben Gleichmut ein, mit dem sie die Blutstropfen der Gefallenen in sich aufgenommen hatte . . .

Eben hatten die deutschen Eichen sich neu begrünt, gewärtig, alsbald mit Lachen geplündert zu werden ; da begannen die Sieger heimzukehren.

Voran — in frohen, zwanglosen Schwärmen — der Stolz, die Blüte des Vaterlandes, die Söhne der Reichen, die als freiwillige Jäger mit eigenem Pferd und eigenen Waffen in den heiligen Krieg gezogen waren.

Ihr Weg durch Deutschland war ein einziger Reigen rauschender Feste. Wohin sie kamen, traten sie auf Rosen ; die schönsten Jungfrauen wollten von ihnen

geliebt, die edelsten Weine wollten von ihnen getrunken
sein.

*Aus „ Eine Sommerschlacht " von Detlev von
Liliencron*

Einer meiner Rekruten vom vorigen Winter ist immer
neben mir geblieben. Jetzt seh' ich noch . . . wo . . . alles
Rauch, Flammen, Schaum, Wut. . . . Da hör' ich durch all
den Lärm seine gellende Stimme : ,, Herr Leutnant, Herr
Leutnant ! " . . . ,, Wo . . . wo bist du . . . Mehrkens, Mehrkens, wo bist du. . . ." Einer umklammert meine linke
Hand, fest, schraubenartig. Ich beuge mich ihm zu. Es
ist mein kleiner Rekrut, der mich hält. Ein Schuss von
der Seite hat ihm beide Augen weggenommen. Aber schon
lösen sich seine Hände. Die Finger lassen ab, werden
starr, bleiben gekrümmt . . . und er sinkt in den Blutsee.
Der Kirchhof ist unser ! Hurra ! Hurra !
Den Hauptmann treff' ich auf der Mauer. Fast die
ganze linke Seite seines Rockes fehlt. Das Hemd steht
vorn auf. Seine breite Brust keucht in langen Zügen.
Ich springe zu ihm hinauf. Sich mit der Rechten auf den
Säbel stützend, ergreift er meine Hände mit der Linken.
So stehen wir eine Minute, hoch auf der Mauer, schweigend.
Und vor uns dampft es, und um uns, und überall. Funken
von der brennenden Kirche her umtanzen uns wie goldene
Mücken. Mein linker Fuss ruht auf dem Nacken eines
beim Übersteigen der Mauer erschossenen und hängen
gebliebenen Jägers. Und so stehen wir . . . schweigend . . .
eine Minute . . . und Sieg und Sonne glüht auf unsern
Gesichtern.

Commercial Correspondence

Ankündigung von Preiserhöhungen

Durch anhaltendes Steigen der Rohstoffe wird eine
Preiserhöhung auf alle unsere Waren (auf alle unsere
Seidenwaren) in allernächster Zeit eintreten.
In Hartgummi (Ebonit) ist die vorrätige Ware knapp,
so dass die Preise schon in nächster Zeit steigen (in die
Höhe gehen) werden.

Es empfiehlt sich daher, mit der Bestellung nicht länger zu zögern.

Wir raten Ihnen deshalb zu einem grösseren Bezug.

Wir möchten Ihnen deshalb empfehlen, Ihren Jahresbedarf sofort zu decken.

Da die Aussichten auf die nächste Ernte in Baumwolle nicht besonders gut sind, empfiehlt es sich, Ihre Aufträge möglichst bald zu geben.

Ablehnung von Angeboten

Wir können leider von Ihrem Angebot vom 16. Mai keinen Gebrauch machen.

Zu unserm Bedauern müssen wir Ihnen mitteilen, dass wir Ihr Angebot zurzeit nicht berücksichtigen können (dass wir für die angebotenen Artikel keine Verwendung haben).

Sie waren so freundlich (Sie hatten die Liebenswürdigkeit), unsere Aufmerksamkeit auf Ihr Angebot von Konserven aller Qualitäten zu herabgesetzten Preisen zu lenken ; wir bedauern sehr, dass wir nicht in der Lage sind, davon Gebrauch zu machen, da wir dieselben Waren von anderen Bezugsquellen (von anderen Fabriken), billiger (wohlfeiler) beziehen können (da uns von anderer Seite günstigere Angebote gemacht werden.)

. . . Weil hier die Nachfrage nach diesen Gegenständen zu gering ist.

. . . Da die Zahl der Abnehmer zu klein ist.

. . . Da wir zurzeit mit dieser Ware noch reichlich versehen sind.

. . . Da unser Bedarf noch für längere Zeit gedeckt ist.

. . . Da wir keine Absicht haben (Da wir nicht beabsichtigen), diese Ware zu halten.

LESSON XIII

Conversation

Im Weissen Saal des Neuen Schlosses

(ANN, *die gar kein Instrument spielt und nur selten und mittelmässig singt, hat die anderen von Tonfarbe, Sexten, Themen, Sätzen, Präludien, Intermezzi, Sonaten, Sinfonien, Suiten und so fort sprechen hören, und wenn sie die Leute sagen hört : „ Erinnert dieses Stückchen Sie nicht an den Anfang von Schuberts Siebenter C-Dur Sinfonie (die ‚himmlisch lange‘),“ oder : „ Dieses Stück ist doch die ‚Valse Triste‘ von Sibelius ? “ oder : „ Was könnte herrlicher sein, als das pianissimo der Cellos in der Melodie der ‚Unvollendeten‘ ? “ — dann wird sie durch ein leichtes Minderwertigkeitsgefühl beunruhigt. Während des Konzerts wurden verschiedene Werke von G. F. Händel, Georg Matthias Monn, G. Ph. Telemann und Joh. Seb. Bach von den Solisten und Kammermusikern des Staatstheaterorchesters aufgeführt, unter der Leitung von Walther Rehberg. Am Schluss des Konzerts ist sie entschlossen, nicht zu geistlos und verständnislos zu scheinen, besonders da sie grosse Freude an der Musik hatte. Sie ist aber der Schwierigkeiten gewahr, weil die anderen alle erfahrene Freunde von Musik sind. Folgendes Gespräch findet statt, während sie Wein oder Kaffee bei Maxim in der Hauptstätterstrasse trinken.*)

DR. TELLERBACH. Nun, Fräulein Ann, ich hoffe, dass Sie das Konzert genossen haben.

ANN. Ja, danke schön, es war wunderbar.

IRMA. Ich dachte, du hast mir gesagt, dass du keine Freundin von Musik bist ?

ANN (*trotzig*). So ?

IRMA. Na, ich dachte doch, du hättest mir gesagt, du wüsstest gar nichts von Musik ?

ANN. Ja, freilich, aber das heisst nicht, dass ich gute Musik nicht gern höre. Mir fehlt nur die Sondersprache oder der Jargon der Musikverehrer.

DR. T. (*lachend*). Jeder Beruf und jedes Fach hat seine Sondersprache — das ist selbstverständlich. Aber ich glaube, Sie meinen es sarkastisch, nicht wahr ?

ANN. Ich will damit sagen, dass, wenn Sie ein Musikstück hören, Sie mehr darüber sagen können, weil Sie
den Rummel verstehen — Sie kennen die passenden
Worte, die Fachausdrücke, sozusagen — Sie können ohne
Zweifel ein gewisses Stück beim rechten Namen nennen,
können die verschiedenen Formen oder Arten unterscheiden,
wie zum Beispiel, Arpeggien oder — oder — Triller, Stak-
katos, Legatos, Portatos — Sie wissen von Intervallen,
Medianten, Dominanten, Takten, Tonarten — und kurz
den ganzen Kram! Ich aber nicht. Ich kann nicht einmal ,, Deutschland, Deutschland über alles " am Klavier
spielen, und Ausdrücke wie Es-Dur sind für mich ganz
unverständlich. Ich möchte aber behaupten, dass ich,
die ich keine Musikkennerin bin, ein Musikstück ebenso
gut geniessen kann, wie Sie.

DR. T. (*lächelnd*). Ich fürchte, Sie haben eine zu hohe
Meinung von meinen Kenntnissen in diesen Sachen. Jedes-
mal, wenn ich Sie unsere deutsche Sprache sprechen höre,
Ann, kann ich kaum glauben, dass Sie keine Deutsche
sind. Da haben Sie es. Am Anfang konnten Sie Goethes
,, Torquato Tasso," zum Beispiel, nicht mit vollem Genuss
lesen, weil Verschiedenes darin war, was Sie nicht ganz
verstehen konnten, wenn überhaupt. Aber wenn Sie diese
Werke jetzt lesen sollten, so könnten Sie die geistigen
Feinheiten hochschätzen, die Ihnen damals dunkel blieben.
So ist es mit der Musik.

(*Fortsetzung folgt.*)

Idiomatic Phrases

Ich geriet in ein furchtbares Gedränge und war nahe
daran, mich zu verirren. *I got into a fearful crush (crowd,
traffic-jam), and nearly got lost.*

Er nahm Anstoss an den Bemerkungen des Vor-
sitzenden. *He took exception to the chairman's remarks.*

Sie rudert für ihr Leben gern. *She is passionately fond
of rowing* (i.e. *a boat*).

Exercise

Electricity and the Housewife

What a boon electricity has proved to mankind ! When
we roll along in our electric train, or switch on the radio

as we speed in our car through the countryside, or even
switch on the light over our bed at night, we rarely stop
to think of the difficulties of our forefathers, to whom
overland travel was a severe physical discomfort, who
relied on torches or candles to see in the dark, and who
were only able to hear from distant friends after the lapse
of weeks or months.

Let us see what electricity can do for us to-day. The
housewife no longer has to brush and sweep her carpets
and mats : she uses an electric cleaner. She no longer
needs to keep heating her flat-irons on the fire or the gas :
she merely takes the electric iron and plugs in. She may
have an electric cooker, an electric kettle and an electric
washing-machine. She can heat the bath-water by electricity, is sure of the correct time with an electric clock,
needs no longer to fear the mess made by coal-dust, or the
difficulties of getting a fire to burn with damp wood, if she
possesses an electric radiator. The housewife is now able
to keep her food fresh in an electric refrigerator. Some
pampered sybarites even allow themselves to be roused
in the morning by an electric apparatus that not only sets
the alarm in motion, but has already boiled the coffee !

Extract

Aus „ Die Harzreise "

Brockenreise

Allerliebst schossen die goldenen Sonnenlichter durch
das dichte Tannengrün. Eine natürliche Treppe bildeten
die Baumwurzeln. Überall schwellende Moosbänke ; denn
die Steine sind fusshoch von den schönsten Moosarten, wie
mit hellgrünen Sammetpolstern, bewachsen. Liebliche
Kühle und träumerisches Quellengemurmel. Hier und da
sieht man, wie das Wasser unter den Steinen silberhell
hinrieselt und die nackten Baumwurzeln und Fasern
bespült. Wenn man sich nach diesem Treiben hinabbeugt,
so belauscht man gleichsam die geheime Bildungsgeschichte
der Pflanzen und das ruhige Herzklopfen des Berges. An
manchen Orten sprudelt das Wasser aus den Steinen und
Wurzeln stärker hervor und bildet kleine Kaskaden. Da

lässt sich gut sitzen. Es murmelt und rauscht so wunderbar, die Vögel singen abgebrochene Sehnsuchtslaute, die Bäume flüstern wie mit tausend Mädchenzungen, wie mit tausend Mädchenaugen schauen uns an die seltsamen Bergblumen, sie strecken nach uns aus die wundersam breiten, drollig gezackten Blätter, spielend flimmern hin und her die lustigen Sonnenstrahlen, die sinnigen Kräutlein erzählen sich grüne Märchen, es ist alles wie verzaubert, es wird immer heimlicher und heimlicher, ein uralter Traum wird lebendig, die Geliebte erscheint — ach, dass sie schnell wieder verschwindet !

Aus ,, Den Memoiren des Herrn von Schnabelewopski "

In Hamburg

Minka lächelte seltener, denn sie hatte keine schönen Zähne. Desto schöner aber waren ihre Tränen, wenn sie weinte, und sie weint bei jedem fremden Unglück, und sie war wohltätig über alle Begriffe. Den Armen gab sie ihren letzten Schilling. Sie war so seelengut. Dieser weiche, nachgiebige Charakter kontrastierte gar lieblich mit ihrer äusseren Erscheinung. Eine kühne, junonische Gestalt ; weisser frecher Nacken, umringelt von wilden schwarzen Locken, wie von wollüstigen Schlangen ; Augen, die unter ihren düsteren Siegesbogen so weltbeherrschend strahlten ; purpurstolze, hochgewölbte Lippen ; marmorne, gebietende Hände, worauf leider einige Sommersprossen ; auch hatte sie in der Form eines kleinen Dolchs ein Muttermal an der linken Hüfte.

Die Lorelei

Ich weiss nicht, was soll es bedeuten,
Dass ich so traurig bin.
Ein Märchen aus alten Zeiten,
Das kommt mir nicht aus dem Sinn.
Die Luft ist kühl, und es dunkelt,
Und ruhig fliesst der Rhein ;
Der Gipfel des Berges funkelt
Im Abendsonnenschein.

Die schönste Jungfrau sitzet
Dort oben wunderbar ;
Ihr goldnes Geschmeide blitzet,
Sie kämmt ihr goldenes Haar,
Sie kämmt es mit goldenem Kamme
Und singt ein Lied dabei,
Das hat eine wundersame,
Gewaltige Melodei.

Den Schiffer im kleinen Schiffe
Ergreift es mit wildem Weh ;
Er schaut nicht die Felsenriffe,
Er schaut nur hinauf in die Höh'.
Ich glaube, die Wellen verschlingen
Am Ende Schiffer und Kahn.
Und das hat mit ihrem Singen
Die Lorelei getan.

Commercial Correspondence

Senden (Schicken, Liefern) Sie uns sofort (sogleich, sobald wie möglich, ohne Verzug, möglichst bald, bei erster Gelegenheit) mit Ihrem Fuhrwerk (Wagen) — durch die Post — durch den Überbringer dieses Briefes — (Eilgut, Expressgut) — durch einen Boten — durch die Bahn als Frachtgut.

50 Exemplare von Thomas Mann ,, Die Buddenbrooks '' (Cotta-Verlag).

Lassen Sie uns sofort 2 000 Meter Hemdentuch, genau nach Muster in Beschaffenheit der uns am 30. Oktober zugesandten Probe entsprechend, zugehen.

Wir lassen Ihnen hiermit folgenden Auftrag zur sofortigen Ausführung zugehen.

Den Rechnungsbetrag werden wir Ihnen sofort (bei Verfall — nach Empfang Ihrer Sendung) durch Postanweisung zusenden (einschicken, zugehen lassen).

Den Betrag der Rechnung wollen Sie nach Verfall durch Wechsel (Postnachnahme) bei uns erheben (einziehen) lassen.

Nach Empfang der Sendung werden wir Ihnen für den Rechnungsbetrag sichere Wechsel zukommen lassen.

Wir bitten Sie, die Waren der Firma Bolz und Co. zur Weiterbeförderung an uns zu übergeben.

Senden Sie die Waren zu Wasser nach Hull an die Herren Thomas Green and Company.

Lassen Sie die Waren, versichert, fracht- und kostenfrei, mit dem ersten Dampfer nach Harwich an die Herren B. Jenkins and Sons, Ltd., gehen zur Weiterbeförderung durch die Bahn.

Wollen Sie die Verladung nach Tilbury an die Herren Cave and Cliff zu unserer Verfügung veranlassen und uns den Ladeschein (Frachtschein, Seefrachtbrief, das Konossement) einsenden.

Die Versicherung besorgen wir selbst.

Wenn Preis und Beschaffenheit der Ware unsern Erwartungen entsprechen, können Sie auf grössere Nachbestellungen rechnen.

Wir bitten Sie, die Ablieferung tunlichst zu beschleunigen, da unsere Vorräte fast völlig erschöpft sind.

LESSON XIV

Conversation

Ein Gespräch über die Musik
(Fortsetzung und Schluss)

(*Nach dem Konzert im Weissen Saale des Neuen Schlosses sitzt* ANN *mit* DR. *und* FRAU TELLERBACH *und deren Tochter* IRMA *zusammen. Sie trinken Kaffee oder Wein.*)

ANN. Aber das ist, was mich besonders ärgert : man hört häufig Leute, die so etwas sagen : Sehen Sie — dieses Stück stellt einen Sturm oder ein Gewitter dar. Zuerst kommt eine unheilverkündende Stille, dann steigt der Wind allmählich oder plötzlich auf, man wird vom Donner betäubt, von den furchtbaren Blitzstrahlen geblendet und — und so fort, bis die Donnerwolken vorbeigerollt sind und der Himmel wieder schön blau und klar ist. Aber meiner Meinung nach könnte das Stück ebenso gut eine Schlacht darstellen oder eine Revolution, oder einen furchtbaren Kampf im tiefsten Inneren eines Menschen, oder sogar die Geistesstörungen eines Verrückten. Oder es könnte garnichts bedeuten — nur leere Klänge.

DR. T. Da haben Sie den Unterschied zwischen der Programm-Musik und der absoluten oder reinen Musik.

ANN. Programm-Musik ?

DR. T. Ja, das heisst, musikalische Erzählungen oder Bilder, wie zum Beispiel Smetanas „ Moldau " oder die „ Danse Macabre " von Saint-Saëns. Solche Musik stellt eine Szene oder eine Landschaft dar, oder sie erzählt eine Geschichte wie der „ Don Juan " von Richard Strauss. Man kann solche Musikstücke auch Tongedichte nennen, wenn man will.

ANN. Was ist denn die absolute oder reine Musik ?

DR. T. Die reine Musik erzählt keine Geschichte, stellt kein Bild dar — sie ist selbständig, ist das Ein und Alles, hat keine Bedeutung ausser sich.

ANN. Ich fürchte, das ist etwas schwer zu begreifen. Es ist ein ziemlich schweres Abenteuer, eine dreiviertelstündige Sinfonia zu hören, wenn man am Ende gestehen muss, dass gar nichts darin steckt — (*mit einem Achsel-zucken*).

IRMA. Doch, doch — es steckt darin die Seele des Kom-ponisten, seine Stimmungen, seine Hoffnungen, seine ängst-lichen Ahnungen, seine Liebe, seine Verzweiflung.

ANN. Nun, wenn das wahr ist, so hat die Musik doch einen Hintergrund, einen Namen und einen geistigen Platz sozusagen, hat doch für uns eine Bedeutung — sie erzählt uns die Geschichte von den Gemütsbewegungen eines Menschen. Die Kritik über die Musik scheint nichts anderes zu sein, als Klischees und zwecklose Pedanterie ! Eine Sinfonia hat vier Sätze, nicht wahr ?

DR. T. Ja, in der Regel.

ANN. Haben diese vier Sätze keine Bedeutung, oder ist das alles nur eine willkürliche oder traditionelle Kon-vention ? Die Sinfonie hat zwei Themen, die dem Aufbau eines Tonstückes zugrunde liegen. Diese Themen haben doch eine besondere Bedeutung, eine Philosophie ? Wagner, zum Beispiel, der keine Sinfonie zu komponieren ver-mochte, war mit der Philosophie Schopenhauers und Nietzsches durchtränkt, und er versuchte, diese Philosophie in seine Opernmusik zu übertragen.

DR. T. Sie dürfen aber nicht vergessen, dass eine Oper nicht lauter Musik ist. Aber es kommt mir vor, Ann, dass Sie mehr von Musik wissen, als Sie zugeben wollen.

Idiomatic Phrases

Hören wir auf mit diesem leichten Gerede, sprechen wir lieber über die militärische Lage im Fernen Osten. *Enough of this small talk, let us discuss the military situation in the Far East.*

Ich habe die Absicht, einige alte Freunde von mir in Paris wieder aufzusuchen. *I intend to look up a few old friends of mine in Paris.*

Schlagen Sie bitte dieses Wort im Wörterbuch nach. *Please look this word up in the dictionary.*

Ich kann nicht ohne Tabak auskommen. *I cannot do without tobacco.*

Lass deine Handtasche nicht liegen ! *Don't leave your handbag lying about !*

Exercise

MRS. TELLERBACH. I rather think Ann knows a good deal more about music than she has admitted.

DR. T. So do I.

ANN. Well, isn't that why the Nazis were so keen on Wagner ? Because he represents Nietzsche's " blond Beast," the heroism and virility of paganism as contrasted with the humility and weakness of the true Christians ? It is Nietzsche's master morality against slave morality, as it were. But there's one thing I would like to know— I really am frightfully ignorant when it comes to music.

DR. T. And that is ?

ANN. What exactly is Chamber Music ?

DR. T. That's easy enough. Chamber music was originally, as the Italian term *musica da camera* meant, intended for performance in princely houses for the delectation of a small élite, as distinct from the music provided for a larger public in the Church, or later on, on the stage. In Germany there were two kinds : Hofmusik, for fairly important Court functions, and Kammermusik for the household.

ANN. That means that the number of performers was fairly restricted, I suppose ? String quartets, quintets and so on ?

DR. T. That is so. And most of the chamber music is in sonata-form. (*Looks at his watch.*) This is extremely interesting, and I should like to go on, but it is already after midnight, and I think we'd better be making tracks for home.

(ANN, *who has been wondering whether she has put her foot into it with her remark about the Nazis, heartily agrees.*)

Extract

Aus ,, Aus dem Leben eines Taugenichts "

(a) *Erstes Kapitel*

Das Rad an meines Vaters Mühle brauste und rauschte schon wieder recht lustig, der Schnee tröpfelte emsig vom

Dache, die Sperlinge zwitscherten und tummelten sich dazwischen ; ich sass auf der Türschwelle und wischte mir den Schlaf aus den Augen ; mir war so recht wohl in dem warmen Sonnenscheine. Da trat der Vater aus dem Hause ; er hatte schon seit Tagesanbruch in der Mühle rumort und die Schlafmütze schief auf dem Kopfe, der sagte zu mir: ,, Du Taugenichts ! da sonnst du dich schon wieder und dehnst und reckst dir die Knochen müde, und lässt mich alle Arbeit allein tun. Ich kann dich hier nicht länger füttern. Der Frühling ist vor der Tür, geh auch einmal hinaus in die Welt und erwirb dir selber dein Brot.''·— ,, Nun,'' sagte ich, ,, wenn ich ein Taugenichts bin, so ist's gut, so will ich in die Welt gehen und mein Glück machen.'' Und eigentlich war mir das recht lieb, denn es war mir kurz vorher selber eingefallen, auf Reisen zu gehen, da ich die Goldammer, welche im Herbst und Winter immer betrübt an unserm Fenster sang : ,, Bauer, miet' mich, Bauer miet' mich ! '' nun in der schönen Frühlingszeit wieder ganz stolz und lustig vom Baume rufen hörte : ,, Bauer, behalt' deinen Dienst ! '' — Ich ging also in das Haus hinein und holte meine Geige, die ich recht artig spielte, von der Wand, mein Vater gab mir noch einige Groschen Geld mit auf den Weg, und so schlenderte ich durch das lange Dorf hinaus. Ich hatte recht meine heimliche Freude, als ich da alle meine alten Bekannten und Kameraden rechts und links, wie gestern und vorgestern und immerdar, zur Arbeit hinausziehen, graben und pflügen sah, während ich so in die freie Welt hinausstrich. Ich rief den armen Leuten nach allen Seiten recht stolz und zufrieden Adies zu, aber es kümmerte sich eben keiner sehr darum. Mir war es wie ein ewiger Sonntag im Gemüte. Und als ich endlich ins freie Feld hinauskam, da nahm ich meine liebe Geige vor und spielte und sang . . .

(b) Fünftes Kapitel

Die alte Frau mahlte indes in einem fort mit ihrem zahnlosen Munde, dass es nicht anders aussah, als wenn sie an der langen herunterhängenden Nasenspitze kaute. Dann nötigte sie mich zum Sitzen, streichelte mir mit ihren dürren Fingern das Kinn, nannte mich *poverino* ! wobei sie mich aus den roten Augen so schelmisch ansah, dass sich

ihr der eine Mundwinkel bis an die halbe Wange in die
Höhe zog, und ging endlich mit einem tiefen Knicks zur
Tür hinaus.

Ich aber setzte mich zu dem gedeckten Tisch, während
eine junge hübsche Magd hereintrat, um mich bei der Tafel
zu bedienen. Ich knüpfte allerlei galanten Diskurs mit
ihr an, sie verstand mich aber nicht, sondern sah mich
immer ganz kurios von der Seite an, weil mir's so gut
schmeckte, denn das Essen war sehr delikat. Als ich satt
war und wieder aufstand, nahm die Magd ein Licht von
der Tafel und führte mich in ein anderes Zimmer. Da
war ein Sofa, ein kleiner Spiegel und ein prächtiges Bett
mit grünseidenen Vorhängen. Ich fragt sie mit Zeichen,
ob ich mich da hineinlegen sollte ? Sie nickte zwar : ,, Ja,''
aber das war denn noch nicht möglich, denn sie blieb wie
angenagelt bei mir stehen. Endlich holte ich mir noch ein
grosses Glas Wein aus der Tafelstube herein und rief ihr
zu : ,, felicissima notte ! '' denn so viel hatt' ich schon
Italienisch gelernt. Aber wie ich das Glas so auf einmal
ausstürzte, bricht sie plötzlich in ein verhaltenes Kichern
aus, wird über und über rot, geht in die Tafelstube
und macht die Tür hinter sich zu. Was ist da zu lachen ?
dachte ich ganz verwundert, ich glaube, die Leute in
Italien sind alle verrückt.

Commercial Correspondence

Auftragsbestätigungen

Die am 29. Januar bei uns bestellten Kinderspielzeuge
werden wir pünktlich zum Versand bringen (werden wir
auf Ihren Abruf bereit halten).

Für den uns am 4. Februar erteilten Auftrag auf Lieferung von 10 Tonnen Senf sprechen wir Ihnen unsern ver-
bindlichsten Dank aus.

Wir nehmen auf den Besuch unseres Reisenden, des
Herrn Steiner, am 9. Juni Bezug und bestätigen Ihnen
dankend den Verkauf von 200 Kisten Kaffeebohnen.

Ihren Auftrag (Ihre Bestellung) von 1. April auf 3500
Liter Olivenöl haben wir erhalten (vorgemerkt).

Für rechtzeitige Ablieferung werden wir Sorge tragen.

Wir werden ihn (sie) pünktlich (zur angegebenen Zeit,

wie gewünscht, zu nachstehenden Bezugsbedingungen)
ausführen (erledigen, zur Ausführung bringen).

Erkundigungen über Geschäftsverhältnisse

Verzeihen (Entschuldigen) Sie, dass (wenn) wir Sie mit
einer Bitte (Anfrage) belästigen, durch deren Erfüllung
(Beantwortung) Sie uns sehr verbinden (uns sehr zu Dank
verpflichten, uns einen grossen Gefallen leisten) würden.

Herr v. Bock (Warenhaus Bolz und Söhne, Firma
Henschel A.-G.) in Köln möchte unter Berufung auf Sie
mit uns in Geschäftsverkehr treten.

Das Geschäftshaus Weit und Breit hat uns einen ziemlich bedeutenden Auftrag erteilt (eine Bestellung in Höhe
von DM. 1700 aufgegeben).

Wir dürfen wohl voraussetzen, dass Sie mit den Verhält-
nissen des Herrn v. Bock näher bekannt sind, und bitten
Sie deswegen ergebenst, uns mitzuteilen, was Sie von ihm
halten (ob Sie es für ratsam halten, ihm einen Kredit von
DM. 17 000 zu bewilligen).

Da wir Bedenken tragen, bitten wir Sie, uns über die
Vermögensverhältnisse (Zahlungsfähigkeit) der Firma (des
Hauses) eingehende Auskunft zu geben (genaue Erkundi-
gungen anzustellen).

Wir versprechen Ihnen dabei strengste Geheimhaltung
Ihrer Mitteilungen.

Sie können dabei auf strengste Verschwiegenheit rechnen.

LESSON XV

Conversation

Das Bridge

ANN.   Spielen Sie das königliche Kartenspiel ?

DR. T.   Sie meinen wohl Bridge.   Ja, gewiss, aber ich
ziehe das Plafond dem Auktions-Bridge vor.

ANN.   Ich habe leider erst gestern abend begonnen, und
ich glaubte zuerst, nach einigen Partien schon recht nett
zu können, aber bald hab' ich gemerkt, dass ich eigentlich
noch keine Ahnung von den eigentlichen Feinheiten
besitze.

DR. T.   Hoffentlich dient das nicht etwa zur Abschrek-
kung, sondern als Ansporn.   Kein anderes Spiel vereinigt
so gleichzeitig eine Schärfung des Verstandes, genaueste
Charakterbeurteilung der Gegner und Partner sowie ein
zielbewusstes, energisches und doch massvolles Vorgehen.

ANN.   Das klingt ein bisschen pedantisch.   Aber könnten Sie mir einige allgemein gültige Richtlinien des Spieles
mitteilen, oder ein paar der wichtigsten Punkte kurz
erklären ?

DR. T.   Ja, freilich.   Ich hole sofort ein Kartenspiel.
(Geht ab und kommt bald mit dem Spiel zurück.)   Na also,
ich mische die Karten, so.   Bitte, heben Sie die Karten
ab, so . . . danke schön . . . Auf Reisen nie mit Unbekannten
spielen, die Karten immer so halten, dass einem Gegner,
der mit Ein- und Umsicht spielt, die Aussicht genommen
wird . . . So, jetzt sind die Karten ausgeteilt.   Nun, passen
Sie mal auf :

Erstens : Der Spieler kann unter dem Strich nur so viel
Tricks für sich anschreiben, als angesagt waren.   Zur Partie
gehören also, falls noch nichts notiert ist, mindestens drei
angesagte Sans Atout, 4 Pik oder Cœur, 5 Karo oder Treff.
Überstiche zählen nur über dem Strich, und zwar der erste
100, jeder folgende 50 Punkte.   Die genaue Erfüllung der
Ansage, der sogenannte Kontrakt, bringt 50 Punkte.

ANN.   Sind die Regeln für das Plafond einheitlich und
überall gültig ?

Dr. T. Leider nicht. Zum Beispiel, in den Regeln des Berliner Union-Clubs werden in der zweiten Partie sowohl Über- und Unterstiche doppelt gerechnet, beim Doublieren vierfach, und schon in der ersten Partie zählen die Unterstiche vom dritten Unterstich an doppelt.

Ann. Man will wohl dadurch dem Bestreben wilder Spieler begegnen, die Partie unter allen Umständen zu halten ?

Dr. T. Und mit Recht. Sonst wäre man niemals fertig. Nun also :

Zweitens : Beim Reizen kann man einfach mit der höheren Trickzahl überbieten, zum Beispiel, gehen vier Treff über drei Sans.

Ann. Reizen ? Was meinen Sie damit ?

Dr. T. Reizen oder Ansagen, das ist dasselbe.

Drittens : Die erste gewonnene Partie wird mit 300, der Rubber mit 750 Punkten angeschrieben. Vier Honneurs in einer Hand zählen 100, fünf Honneurs oder vier Asse in einer Hand 200 Punkte, klein Schlemm 100, gross Schlemm 200 Punkte.

Ann. Über dem Striche ?

Dr. T. Allerdings.

Ann. Was geschieht bei einer Revoke ?

Dr. T. Ach, das ist eine viel umstrittene Frage ! Revoke gilt als gesehen, sobald der Stich genommen und umgedeckt ist, ohne dass der Partner gefragt hat, zum Beispiel : ,, Kein Cœur mehr ? ''

Ann. Darf der Strohmann sich in das Spiel einmischen ?

Dr. T. Das ist die einzige Bemerkung, die dem Strohmann gestattet wird. Auch gilt eine Revoke, die nur der Strohmann gesehen hat, als nicht gesehen. Macht der Spieler die Revoke, so darf er unter dem Strich überhaupt nichts schreiben, selbstverständlich aber dann, wenn die Gegner revozieren. Für die feindliche Revoke kann man sich entweder drei Stiche zuzählen oder über dem Stich 150 Punkte in der ersten, 300 in der zweiten Partie anschreiben. War das Spiel verdoppelt, gilt die Verdoppelung nicht für die 150 respektive 300 Punkte, wohl aber für die angesagten Tricks, so dass hierdurch auch die Partie gewonnen werden kann. Verstanden ?

Ann. Hm — tscha — halb und halb.

Dr. T. (lacht). Das kann ich mir vorstellen. Es ist

freilich ein bisschen verwickelt, und ich werde Ihnen das alles von meiner Stenotypistin schön klar schreiben lassen.

Ann. Ich danke vielmals.

Idiomatic Phrases

Ich war von ihrer Bemerkung tief betroffen. *I was deeply moved by her remark.*

Dieses Kind kommt erst nächste Woche in die Schule. *This child is only starting school next week.*

Es kann aber schon zählen und die Uhr lesen. *He can, however, already count and tell the time.*

Sie überraschte mich zu Weihnachten mit einem Abreisskalender. *She gave me a tear-off calendar as a Christmas present.*

Ich bin entschlossen, dieser unerträglichen Situation ein für allemal ein Ende zu machen. *I intend to put an end to this intolerable situation once and for all.*

Was dem einen sein Brot, ist dem anderen sein Tod. *One man's meat is another man's poison.*

Hast du seinen letzten Schwank gesehen, der alle Rekorde gebrochen haben soll? *Have you seen his latest comedy hit which is said to have broken all records?*

Exercise

(a) The Rabbits' Club has the honour to invite

MISS ANN HAMILTON

to be present at their Evening Social Party on Saturday, 6th April, at 8.30 p.m.

The Dance will, as usual, take place in the Entertainment Rooms of the Grand Prince's Hotel.

Evening Dress.   *R.S.V.P.*

(b) One day a hungry Pomeranian stood hesitatingly and longingly outside a butcher's shop. All of a sudden he snatched at a large sausage and made off with it in his mouth.

The fat butcher happened to see this robbery. Angrily he ran after the dog as fast as his short fat legs could carry him, with his chopper in his hand and the sharpening-steel at his belt. In the middle of the street he collided with a cyclist. Both fell heavily to the ground.

As red as a turkey-cock, covered with mud and sweating at every pore, the butcher got up. His left leg hurt. He limped around for a bit, uttering vile oaths. The cyclist showed him his buckled wheel and demanded damages.

In the meantime the Pom had disappeared round the corner and was placidly consuming his booty.

(c) Question in a Swiss newspaper :

Not long ago I saw an officer in full dress go to a fountain, bathe his face with cold water, rub it with a shaving-stick, then take out a safety-razor, shave himself and go away—all in seven minutes. Do you know this shaving method ?

Extract

Aus der Novelle ,, Michael Kohlhaas "

Schluss

Der Kurfürst rief : ,, Nun, Kohlhaas, der Rosshändler, du, dem solchergestalt Genugtuung geworden, mache dich bereit, kaiserlicher Majestät, deren Anwalt hier steht, wegen des Bruchs ihres Landfriedens, deinerseits Genugtuung zu geben ! " Kohlhaas, indem er seinen Hut abnahm, und auf die Erde warf, sagte : dass er bereit dazu wäre ! übergab die Kinder, nachdem er sie noch einmal vom Boden erhoben, und an seine Brust gedrückt hatte, dem Amtmann von Kohlhaasenbrück, und trat, während dieser sie, unter stillen Tränen, vom Platz hinwegführte, an den Block. Eben knüpfte er sich das Tuch vom Hals ab und öffnete seinen Brustlatz : als er, mit einem flüchtigen Blick auf den Kreis, den das Volk bildete, in geringer Entfernung von sich, zwischen zwei Rittern, die ihn mit ihren Leibern halb deckten, den wohlbekannten Mann mit blauen und weissen Federbüschen wahrnahm. Kohlhaas löste sich, indem er, mit einem plötzlichen, die Wache, die ihn umringte, befremdenden Schritt, dicht vor ihn trat, die

Kapsel von der Brust ; er nahm den Zettel heraus, entsie-
gelte ihn, und überlas ihn : und das Auge unverwandt auf
den Mann mit blauen und weissen Federbüschen gerichtet,
der bereits süssen Hoffnungen Raum zu geben anfing,
steckte er ihn in den Mund und verschlang ihn. Der Mann
mit blauen und weissen Federbüschen sank, bei diesem
Anblick, ohnmächtig, in Krämpfen nieder. Kohlhaas aber,
während die bestürzten Begleiter desselben sich herab-
beugten, und ihn vom Boden aufhoben, wandte sich zu
dem Schafott, wo sein Haupt unter dem Beil des Scharf-
richters fiel. Hier endigte die Geschichte vom Kohlhaas.

Aus der Novelle ,, Die Marquise von O . . . ."

Anfang

In M . . ., einer bedeutenden Stadt im oberen Italien,
liess die verwitwete Marquise von O . . ., eine Dame von
vortrefflichem Ruf, und Mutter von mehreren wohler-
zogenen Kindern, durch die Zeitungen bekanntmachen :
dass sie, ohne ihr Wissen, in andre Umstände gekommen sei,
dass der Vater zu dem Kinde, dass sie gebären würde, sich
melden solle ; und dass sie, aus Familienrücksichten,
entschlossen wäre, ihn zu heiraten. Die Dame, die einen
so sonderbaren, den Spott der Welt reizenden Schritt, beim
Drang unabänderlicher Umstände, mit solcher Sicherheit
tat, war die Tochter des Herrn von G . . ., Kommandanten
der Zitadelle bei M . . . Sie hatte, vor ungefähr drei Jahren,
ihren Gemahl, den Marquis von O . . ., dem sie auf das
innigste und zärtlichste zugetan war, auf einer Reise
verloren, die er, in Geschäften der Familie, nach Paris
gemacht hatte. Auf Frau von G . . .s, ihrer würdigen
Mutter, Wunsch, hatte sie, nach seinem Tode, den Landsitz
verlassen, den sie bisher bei V . . . bewohnt hatte, und war,
mit ihren beiden Kindern, in das Kommandantenhaus, zu
ihrem Vater, zurückgekehrt. Hier hatte sie die nächsten
Jahre, mit Kunst, Lektüre, mit Erziehung, und ihrer Eltern
Pflege beschäftigt, in der grössten Eingezogenheit zuge-
bracht : bis der . . . Krieg plötzlich die Gegend umher mit
den Truppen fast aller Mächte und auch mit russischen
erfüllte. Der Obrist von G . . ., welcher den Platz zu
verteidigen Ordre hatte, forderte seine Gemahlin und seine
Tochter auf, sich auf das Landgut, entweder der letzteren

oder seines Sohnes, das bei V . . . lag, zurückzuziehen.
Doch ehe sich die Abschätzung noch, hier der Bedrängnisse,
denen man in der Festung, dort der Greuel, denen man
auf dem platten Lande ausgesetzt sein konnte, auf der
Wage der weiblichen Überlegung entschieden hatte : war
die Zitadelle von den russischen Truppen schon berennt,
und aufgefordert, sich zu ergeben.   Der Obrist erklärte
gegen seine Familie, dass er sich nunmehr verhalten
würde, als ob sie nicht vorhanden wäre ; und antwortete
mit Kugeln und Granaten.   Der Feind, seinerseits, bom-
bardierte die Zitadelle.   Er steckte die Magazine in Brand,
eroberte ein Aussenwerk, und als der Kommandant, nach
einer nochmaligen Aufforderung, mit der Übergabe zauderte,
so ordnete er einen nächtlichen Überfall an, und eroberte
die Festung im Sturm.

Commercial Correspondence

Die am 12. April bestellten Waren (Artikel, Gegenstände)
haben wir sofort (sorgfältig) ausgesucht (angefertigt, nach
Angabe herstellen lassen) und heute an Sie (an Ihre Adresse)
abgesandt (aufgegeben) (heute als Eilgut verladen, heute
kostenfrei auf Ihre Rechnung und Gefahr als Frachtgut an
Sie abgeschickt).

Wir erlauben uns, Ihnen anbei (umstehend, hiermit) die
Rechnung zu senden (zu überreichen), deren Betrag Sie uns
uns gutschreiben wollen (und bitten Sie, uns den Betrag
gutzuschreiben).

Die Einzelheiten der Sendung (Das Nähere) wollen Sie
aus der Rechnung selbst ersehen (entnehmen).

Wir haben heute Ihren Auftrag vom 6. April ausgeführt
und überreichen Ihnen hiermit die zugehörige Rechnung.
Ihrem Wunsche gemäss haben wir uns erlaubt, einen
Wechsel in Höhe des Rechnungsbetrags auf Sie, zahlbar
am 6. Juni, zu ziehen.   Wir bitten um Einlösung bei Sicht.

Wir waren so frei, Dreimonatswechsel im Betrag von
DM. 745 auf Sie zu ziehen und den Abschnitt beizufügen
mit der Bitte, ihn mit Ihrem Annahmevermerk zu versehen
und an uns zurückzusenden.

Es soll uns freuen, wenn unsere Sendung zu Ihrer vollen
Zufriedenheit ausgefallen ist und Sie veranlassen wird, uns
in Zukunft noch recht oft mit Ihren Aufträgen zu beehren.

LESSON XVI

Conversation

Mittagessen auf dem Rheindampfer

(HERR ANDREW, *seine Frau* JEAN, *sein Sohn* MALCOLM
und sein Bruder PETER *sind an Bord des Rheindampfers*
,, *Rheingold.*'' *Sie fahren von Köln nach Mainz. Sie lösten
ihre Fahrkarten im Büro der Rheindampfschiffahrts-Gesell-
schaft in Köln und gingen daselbst kurz vor* 10 *Uhr vormittags an Bord.*)

A. H. (*an die Reling des Schiffs gelehnt*). Was für Essen
bekommt man auf so einem Dampfer ?

J. H. Keine Ahnung. Im ,, Riesenfürstenhof '' sagte
man mir, dass es ganz gut wäre.

P. H. Na, es muss ganz scheusslich sein, wenn ich es
nicht essen kann, denn ich habe einen wirklichen Wolfs-
hunger. Jedenfalls hab' ich irgendwo gelesen, dass alle
Beschwerden an den Schiffsinspektor gerichtet oder dem
,, roten Kasten '' anvertraut werden sollen.

MALCOLM. Was ist der rote Kasten, Onkel Peter ?

P. H. Weiss nicht. Wir wollen jetzt hinuntergehen ja ?

A. H. Meinetwegen. Und du, Jean ?

J. H. Ja, ich bin auch ganz hungrig. So komm,
Malcolm, wir wollen jetzt essen. (*Zu ihrem Manne.*) Es
ist wirklich nett, wie er sich mit dieser kleinen Holländerin
angefreundet hat — sie vertragen sich ausgezeichnet
miteinander, obschon er kein einziges Wort von dem
versteht, was sie sagt.

P. H. Du meinst, *weil* er gar nicht versteht, was sie sagt.

J. H. Diese Bemerkung ist bezeichnend für einen
eingefleischten Junggesellen.

(*Sie nehmen Platz an einem Tisch neben dem Windschirm,
von wo aus sie einen ununterbrochenen Blick über den Fluss
bekommen.*)

DER KELLNER (*legt die Speisekarte vor sie hin*). Guten
Tag ! (*Er legt das Besteck vor* FRAU H. *zurecht.*)

P. H. Ein Apéritif, Jean ? (FRAU H. *lehnt lächelnd ab.*
P. H. *wendet sich dem Kellner zu.*) Herr Ober, bringen Sie

89

uns bitte zwei Glas Vermouth. (*Überreicht* FRAU H. *die Speisekarte.*) Du kannst am besten auswählen — für mich ist es immer ein *embarras de richesses*. Ich lasse immer den Kellner wählen mit der Warnung : je grösser mein Genuss, je grösser das Trinkgeld.

J. H.   Ihr wünscht wohl nicht den Mittagstisch ?

A. H.   Mittagstisch ?   Was soll denn das heissen ?

J. H.   Für 2 Mark 75 können wir Suppe, Fisch oder Zwischengericht, Fleisch, Kartoffeln und Gemüse, und Nachtisch bekommen.

A. H.   Ah, table d'hôte !   Nein, wir wollen ganz richtig essen.   Was für Vorspeisen können wir bekommen ?

J. H.   Ölsardinen 3 Stück mit Butter und Brot, Hering-Salat, Salm-Mayonnaise, Schwedenplatte mit Butter und Brot, Gänseleber-Pastete.

P. H.   Haben sie keinen Kaviar (*kah'-vyar*) ?

J. H.   Doch, aber eine Portion kostet 8 Mark, das ist etwas zu teuer.   Ich bin für die Schwedenplatte, 2.75 M. pro Portion.

P. H.   Topp !   Und dann ?

J. H. (*liest vor*).   Tagessuppe, Kraftbrühe in Tassen mit Brötchen, Mockturtlesuppe oder echte Schildkrötensuppe.

A. H.   Was mich betrifft, ich bin bereit, die Tagessuppe zu riskieren.

P. H.   Ich auch.

J. H. (*liest weiter*).   Fisch ?

(*Fortsetzung folgt.*)

Idiomatic Phrases

Haben Sie der Hochzeit Ihrer Schwester beigewohnt ?
Were you at your sister's wedding ?

Man möchte des Teufels werden, wenn man ein Pferd so fürchterlich misshandelt sieht.   *It's enough to make one mad to see a horse so ill-used.*

Gehen wir lieber zum ,, Roten Hahn " — da ist immer etwas los.   *Let's go to the " Red Cockerel "—there's always something on there.*

Wenn meine Mutter das wüsste, würde sie einen Schlag kriegen.   *If my mother only knew that, she'd have a blue fit.*

Du hast ihn mit deinen tollen Worten vor den Kopf gestossen.   *You've put his back up, talking in that silly way.*

Exercise

Vocabulary

	weiss	*white*
	schwarz	*black*
der	König	*king*
die	Dame (Königin)	*queen*
der	Turm	*castle, rook*
der	Läufer	*bishop*
der	Springer	*knight*
	acht Bauern	*8 pawns*
das	Schachbrett	*chess-board*

die Bezeichnung der Züge
—*the following signs are
used for the moves :*

schlagen	:	*to take*
ziehen	—	*to move*
rochieren		*to castle*
Schach !	+	*Check !*
Matt !	‡	*Mate !*

Ihr König steht im Schach.
Your king is in check.
Unsere Schachspalte.
Our Chess-column.

Problem

White to play and mate in two.

Solution

1. P×KP ! threatening	2. P–K8(Q) mate
1. . . . . . . Q×Kt	2. B–QB5 ! mate
1. . . . . . Q–K3	2. Q–Q8 mate
1. . . . . Q–KB3 Ch.	2. B×Q mate
or Q–KKt3	B–KB6 ! mate
1. . . . . . K×P	2. B–QB6 ! mate
1. . . . . . . KR×P	2. B–QKt6 ! mate
1. . . . . . Kt–QB3	2. B–KB5 ! mate

(a) A most interesting problem of great subtlety. The moves marked (!) are exceedingly deep. This problem bears witness to the ingenuity and superb skill of its compiler.

(b) He is generally looked upon as the great pianist of modern times. Who is going to look after the children in your absence ? After that fearful row he dared not look his neighbours in the face. They all looked to the mayor for advice. He is a captain in the German Navy. The captain rejoined his regiment as soon as his wound was healed. That boy looks positively ill. Why don't you dress more stylishly ? No wonder the other girls at the office look down on you.

Extract

Aus der Tragödie ,, Faust, Erster Teil "

Nacht

(*In einem hochgewölbten, engen, gothischen Zimmer* FAUST *unruhig auf seinem Sessel am Pulte.*)

FAUST.   Habe nun, ach ! Philosophie,
         Juristerei und Medicin,
         Und, leider ! auch Theologie
         Durchaus studiert, mit heissem Bemühn.
         Da steh ich nun, ich armer Tor !
         Und bin so klug als wie zuvor ;
         Heisse Magister, heisse Doktor gar
         Und ziehe schon an die zehen Jahr,
         Herauf, herab und quer und krumm,
         Meine Schüler an der Nase herum —
         Und sehe, dass wir nichts wissen können !
         Das will mir schier das Herz verbrennen

Zwar bin ich gescheiter als alle die Laffen,
Doktoren, Magister, Schreiber und Pfaffen ;
Mich plagen keine Scrupel noch Zweifel,
Fürchte mich weder vor Hölle noch Teufel —
Dafür ist mir auch alle Freud' entrissen ;
Bilde mir nicht ein was Rechts zu wissen,
Bilde mir nicht ein ich könnte was lehren,
Die Menschen zu bessern und zu bekehren.
Auch hab' ich weder Gut noch Geld,
Noch Ehr' und Herrlichkeit der Welt ;
Es möchte kein Hund so länger leben !
Drum hab' ich mich der Magie ergeben,
Ob mir durch Geistes Kraft und Mund
Nicht manch Geheimnis würde kund ;
Dass ich nicht mehr, mit saurem Schweiss,
Zu sagen brauche was ich nicht weiss ;
Dass ich erkenne, was die Welt
Im Innersten zusammenhält,
Schau' alle Wirkenskraft und Samen
Und tu' nicht mehr in Worten kramen.

Aus dem Schauspiel „ Torquato Tasso "

Fünfter Aufzug. Fünfter Auftritt

TASSO

Und du, Sirene ! die du mich so zart,
So himmlisch angelockt, ich sehe nun
Dich auf einmal !   O Gott, warum so spät !

Allein wir selbst betrügen uns so gern
Und ehren die Verworfnen, die uns ehren.
Die Menschen kennen sich, einander nicht ;
Nur die Galeerensklaven kennen sich,
Die eng an eine Bank geschmiedet keuchen ;
Wo Keiner was zu fordern hat und Keiner
Was zu verlieren hat, die kennen sich ;
Wo Jeder sich für einen Schelmen gibt
Und seines Gleichen auch für Schelmen nimmt,
Doch wir verkennen nur die Andern höflich,
Damit sie wieder uns verkennen sollen.

Wie lang verdeckte mir dein heilig Bild
Die Buhlerin, die kleine Künste treibt.
Die Maske fällt, Armiden seh' ich nun
Entblösst von allen Reizen — Ja, du bist's !
Von dir hat ahnungsvoll mein Lied gesungen !

Und die verschmitzte kleine Mittlerin !
Wie tief erniedrigt seh' ich sie vor mir !
Ich höre nun die leisen Tritte rauschen,
Ich kenne nun den Kreis, um den sie schlich.
Euch alle kenn' ich !   Sei mir das genug !
Und wenn das Elend Alles mir geraubt,
So preis' ich's doch ; die Wahrheit lehrt es mich.

Commercial Correspondence

Auskünfte über Geschäftsverhältnisse

(a) *Unbestimmt.*

Die Verhältnisse der Firma Henschel und Söhne sind schwer zu beurteilen.

Über die Verhältnisse des Herrn v. Bock, haben wir bis jetzt noch keine zuverlässige Auskunft erlangen können.

Trotz eifriger Bemühungen ist es uns bisher nicht gelungen, sichere Auskunft über die Firma Weit und Breit A.-G. zu erhalten.   Wir werden unsere Bemühungen fortsetzen und Ihnen berichten.

(b) *Günstig.*

Über den in Frage kommenden Herrn v. Bock ist uns nichts Nachteiliges bekannt (können wir Ihnen nur Günstiges berichten, haben wir bis jetzt nur Gutes gehört).

Herr v. Bock erfreut sich hier des besten Rufes.

Er gehört einer achtbaren Familie an und gilt als reich (wohlhabend, vermögend, bemittelt).

Wir halten ihn für einen durchaus zuverlässigen (empfehlenswerten) Mann (Kaufmann).

Er ist tüchtig (fleissig, arbeitsam, sparsam, gewissenhaft, ordentlich) und hat sein Geschäft durch Umsicht zu seiner heutigen Bedeutung gebracht.

Er wird als durchaus tüchtig geschildert und geniesst überall uneingeschränkten Kredit.

Sein Gesamtvermögen wird auf 10 000 Pfund geschätzt.

Seine Zahlungen sind bisher immer regelmässig erfolgt

Das Geschäft ist gross (ausgedehnt, einträglich) und entwickelt sich immer mehr (erfreut sich eines regen Zuspruches).

Das Geschäft geht flott und wirft einen hohen Ertrag ab (gewährt dem Inhaber ein reichliches Einkommen).

Mässige (Mittlere) Kredite können ihm ohne Gefahr gewährt (bewilligt) werden.

(c) Ungünstig.

Mit Herrn v. Bock soll es seit einiger Zeit nicht mehr so gut stehen wie früher.

Wir warnen Sie vor jeder Geschäftsverbindung mit Herrn v. Bock.

Er ist mittellos und befindet sich in ziemlich bedrängter Lage.

Er ist unfähig (gleichgültig, nachlässig, arbeitsscheu), und kommt deshalb immer mehr zurück (immer tiefer in Schulden, kommt auf den Hund).

Er trinkt gern (macht viel Aufwand, lebt auf grossem Fusse). Auch sollen schon gerichtliche Klagen vorgekommen sein.

Das Geschäft geht nur mässig; es empfiehlt sich, nur gegen Barzahlung zu liefern.

LESSON XVII

Conversation

Mittagessen auf dem Rheindampfer
(Fortsetzung)

P. H.   Warum nicht ?

J. H. (*liest vor*).   Salm (auch kalt mit Mayonnaise und
Kartoffel-Salat), Steinbutt, Heilbutt, Seezunge, Zander —

A. H.   Was ist denn der Zander für ein Fisch ?

P. H.   Einen Augenblick.   (*Holt ein Taschenwörterbuch
hervor und schlägt das Wort nach.   Liest vor.*)   Zahn —
Zampel — ich wette, ihr wisst nicht, was Zampel heisst —

A. H.   Wollen's auch nicht wissen.   Zander, bitte !

P. H. (*deklamierend*).   ,, Geduld ! Geduld ! wenn's Herz
auch bricht !"   Zander, männlich, ' pike-perch.'

A. H.   Was ist denn ein, ' pike-perch ' ?

P. H.   Ganz einfach !   Er schlägt dem ' pike ' nach, ist
aber kein ' pike ' und —

J. H.   Ja, ja, wir verstehen schon.

(*Der* WEINKELLNER *kommt mit dem Vermouth.*)

J. H. (*weiter lesend*).   Dann gibt es Rheinaal.

P. H.   Rheinaal für mich.

A. H.   Ich will den Zander probieren, ob er mehr nach
' pike ' schmeckt, oder mehr nach ' perch.'

J. H.   Für Malcolm und mich bestelle ich Heilbutt.
Mit dem Fisch werden Salzkartoffeln und beste frische
oder zerlassene Butter serviert.

(*Nachdem sie ihre Gerichte ausgesucht haben, kommt der*
KELLNER, *der sie auf seinen Notizblock aufschreibt.   Der*
WEINKELLNER *kommt wieder, verneigt sich und überreicht*
HERRN ANDREW *die Weinliste.*)

A. H.   Ah, danke schön — auf diese Sache verstehe ich
mich etwas besser.   Was für dich, Jean ?

J. H.   Für Malcolm und mich eine Flasche Mineral-
wasser.

A. H.   Nun ja, bringen Sie uns eine Flasche Rhenser
Limonade.   Und für uns, Peter — lass mich mal sehen
— was hältst du von einer Flasche 1931er Piesporter
Goldtröpfchen ?   (P. H. *nickt.*)

(Später. Jeder hat einen Pfirsich Melba verzehrt ; es wird jetzt Kaffee getrunken. A. H. winkt dem KELLNER zu.)

A. H. Herr Ober ! Bringen Sie mir ein Paket Zigaretten, bitte — Gelbe Sorte — und eine Schachtel Streichhölzer. Mein Feuerzeug hat kein Benzin mehr.

KELLNER. Soll ich es füllen lassen, mein Herr ?

A. H. Können Sie das ? Ja, das wäre mir sehr angenehm.

(KELLNER bringt Zigaretten und Feuerzeug.)

A. H. Besten Dank. Wir wollen jetzt bezahlen, bitte.

KELLNER *(seinen Notizblock hervorziehend).* Jawohl, mein Herr. Zwei Vermouth, eine Mark. Schwedenplatte viermal, 10 Mark. Zwei Heilbutt, 5 Mark fünfzig. Ein Aal blau, 2 Mark 50. Ein Zander, 2 Mark 75. Chateaubriand, mit Sauce Béarnaise, Pommes de terre frites und Salat für 4 Personen, 14 Mark. 4 Portionen Pfirsich Melba, 5 Mark. 3 Mokka, 1 Mark 50. Eine Flasche Goldtröpfchen, 10 Mark. Macht 52 Mark 25. Zehn Prozent Bedienung macht 5 Mark 25 — also im ganzen 57 Mark 50. Die Zigaretten haben Sie schon bezahlt.

A. H. *(überreicht ihm drei Zwanzigmarkscheine).* Ja, das stimmt.

(Der KELLNER gibt A. H. das Wechselgeld. A. H. legt ein 2-Markstück auf den Tisch hin.)

KELLNER *(sich verneigend).* Danke schön, mein Herr ! Auf Wiedersehen !

Idiomatic Phrases

Und die Frau sagte, die Pension wäre nur einen Katzensprung von der See entfernt ! *And the woman said the boarding-house was only a stone's throw from the sea !*

Bleiben Sie immer bis so tief in die Nacht auf ? *Do you always stay up as late as this ?*

Ach, so was musst du nicht glauben, er redet immer so in den Tag hinein. *Pshaw, you mustn't believe that he's always talking in the air like that.*

Was die Sache noch schlimmer machte, der verflixte Motor setzte aus, und wir mussten den Wagen am Strassenrande lassen, und wir kamen fusswund und hundemüde erst nach Mitternacht in Neudorf an. *To make matters worse the blinking motor petered out and it wasn't until after midnight that, footsore and fagged out, we got back to Neudorf.*

Er kann das Blaue vom Himmel schwatzen und ich drückte mich, sobald er wieder anfing, ein richtiges Blech zu reden. *He can talk the hind leg off a donkey, and I sneaked away as soon as he started off on some fresh drivel.*

Exercise

At the Eating-house (ii)

Bahlke knows well enough that he is laying it on a bit thick for Hasenwinkel, but it must be done, this sore must be cut out. He would be a fine pal not to warn his friend. He dare not look his mate in the face, and it's a good job, for Hasenwinkel has changed colour. It takes him some considerable time before he has himself under control. Bahlke goes on chatting :

" Ah, there comes my food. Funny thing, my wife is quite a good cook, but she can't make pancakes as I like them. Either they're fit to mend your boots with, or they are too pasty. Well, now for a spot of sugar. . . . Tastes jolly good."

Hasenwinkel is now able to speak without his voice trembling :

" How did you come to know Magda ? "

" Everybody knows her, old chap. A bit of all right, I *don't* think—you ought to ask her about her previous convictions. She robbed her fellow-workers at the station restaurant, was caught shop-lifting and is to be seen frequently in all the doubtful dumps. Only last Saturday night I saw her at the ' Grey Cat.' "

Extract

Vier Gedichte von Goethe

(i) *Neue Liebe, neues Leben*

Herz, mein Herz, was soll das geben ?
Was bedränget dich so sehr ?
Welch ein fremdes, neues Leben !
Ich erkenne dich nicht mehr.

Weg ist Alles, was du liebtest,
Weg, warum du dich betrübtest,
Weg dein Fleiss und deine Ruh —
Ach, wie kamst du nur dazu !

Fesselt dich die Jugendblüte,
Diese liebliche Gestalt,
Dieser Blick, voll Treu und Güte,
Mit unendlicher Gewalt ?
Will ich rasch mich ihr entziehen,
Mich ermannen, ihr entfliehen,
Führet mich im Augenblick,
Ach, mein Weg zu ihr zurück.

Und an diesem Zauberfädchen
Das sich nicht zerreissen lässt,
Hält das liebe, lose Mädchen
Mich so wider Willen fest ;
Muss in ihrem Zauberkreise
Leben nun auf ihre Weise.
Die Verwandlung, ach, wie gross ?
Liebe ! Liebe ! lass mich los !

(ii) *Beherzigung*

Feiger Gedanken
Bängliches Schwanken,
Weibisches Zagen,
Ängstliches Klagen
Wendet kein Elend
Macht dich nicht frei.

Allen Gewalten
Zum Trutz sich erhalten,
Nimmer sich beugen,
Kräftig sich zeigen,
Rufet die Arme
Der Götter herbei.

(iii) *Der Harfner*

Wer nie sein Brot mit Tränen ass,
Wer nie die kummervollen Nächte
Auf seinem Bette weinend sass,
Der kennt euch nicht, ihr himmlischen Mächte !

Ihr führt ins Leben uns hinein,
Ihr lasst den Armen schuldig werden,
Dann überlasst ihr ihn der Pein :
Denn alle Schuld rächt sich auf Erden.

(iv) *Mignon*

Kennst du das Land, wo die Citronen blühn,
Im dunkeln Laub die Gold-Orangen glühn,
Ein sanfter Wind vom blauen Himmel weht,
Die Myrte still und hoch der Lorbeer steht ?
Kennst du es wohl ?
　　　　　　　Dahin !   Dahin
Möcht ich mit dir, o mein Geliebter, ziehn !

Kennst du das Haus ?   Auf Säulen ruht sein Dach,
Es glänzt der Saal, es schimmert das Gemach,
Und Marmorbilder stehn und sehn mich an :
Was hat man dir, du armes Kind, getan ?
Kennst du es wohl ?
　　　　　　　Dahin !   Dahin
Möcht' ich mit dir, o mein Beschützer, ziehn !

Kennst du den Berg und seinen Wolkensteg ?
Das Maultier sucht im Nebel seinen Weg ;
In Höhlen wohnt der Drachen alte Brut ;
Es stürzt der Fels und über ihn die Flut.
Kennst du ihn wohl ?
　　　　　　　Dahin !   Dahin
Geht unser Weg ! o Vater, lass uns ziehn !

Commercial Correspondence

Beschwerden (Reklamationen)

(a) *Beanstandungen.*

Ihre Sendung vom 6. April ist heute bei uns eingetroffen
(ist uns heute zugegangen).   Wir haben sie sofort geprüft
und bedauern, Ihnen mitteilen zu müssen, dass Sie sich
nicht genau an unsern Auftrag gehalten haben (dass Ihre
Lieferung der eingesandten Probe nicht entspricht, weit
hinter dem Muster zurücksteht).

Wir bestätigen Ihnen hiermit den Empfang Ihrer Sendung vom 6. April, bedauern aber, dass wir beim Nachwiegen gegenüber Ihrer Aufzeichnung einen Gewichtsunterschied von 245 Pfund festgestellt haben.

Wir zeigen Ihnen hiermit den Empfang Ihrer Sendung vom 6. April an, bedauern aber zugleich, dass die Ware in verdorbenem Zustand eingetroffen ist (die Ware infolge mangelhafter Verpackung teilweise beschädigt angekommen ist).

Wir stellen Ihnen die Ware hiermit zur Verfügung und bitten (ersuchen) Sie daher, möglichst gegen Erstattung unserer Auslagen darüber zu verfügen.

Wir müssen die Annahme solcher Ware ablehnen.

Wenn Sie uns eine erhebliche Preisermässigung gewähren, sind wir bereit, die Sendung anzunehmen (zu behalten).

(b) *Antworten auf Beanstandungen.*

Aus Ihrem Schreiben vom 15. April entnehmen wir zu unserem Bedauern, dass unsere Ware nicht genügend verpackt gewesen ist, (in schlechtem Zustande bei Ihnen eingetroffen ist, mit einer Gewichtsdifferenz bei Ihnen angekommen ist, dass Ihnen aus Versehen eine andere (eine falsche) Sorte geliefert worden ist).

Wir sind gern bereit, Ihnen sofort Ersatz zu schicken (Ihnen einen Preisnachlass von 25% zu gewähren), wenn Sie die Ware behalten wollen.

Wir beeilen uns, Ihnen das Fehlende nachzuliefern.

Wir bitten wegen dieses Vorkommnisses um Entschuldigung.

Ihre Klage (Ausstellung) vom 25. April ist meiner Ansicht nach unbegründet (ungerechtfertigt), da Ihnen die Ware mustergetreu (der eingesandten Probe entsprechend) von mir geliefert worden ist. Ich kann daher Ihre Beschwerde nicht anerkennen.

Wir bedauern, Ihre Beanstandung vom 22. April nicht mehr berücksichtigen (annehmen) zu können, da die Reklamationsfrist bereits vorüber (verstrichen) ist.

LESSON XVIII

Conversation

Im Schwimmbad

(HERR ANDREW HAMILTON *und seine Frau nehmen ein Sonnenbad am Rande des Schwimmbades. In dem Wasser schwimmen* ANN *und* MALCOLM *um die Wette. Da* ANN *besser als ihr Bruder schwimmt, hat sie ihm eine Vorgabe von 5 Metern zugestanden und kommt trotzdem zuerst an.*

Andere Badegäste liegen oder sitzen im Sand, spielen Ball oder schwimmen und planschen im Wasser umher. Sie tragen Badeanzüge oder Badehosen aller Art, in allen möglichen Farben : grün, gelb, hellblau, dunkelblau, lila, rot, kremfarbig und rosa, auch gestreift, kariert, gepünktelt und gestrichelt.

PETER HAMILTON *trifft ein.*)

J. H.   Ach so, Peter, du hast den Weg hierher gefunden ? Ich glaubte, du hättest dich irgendwo verirrt.

P. H.   Ich gehe immer mit nachtwandlerischer **Sicher-**heit auf mein Ziel hin.

J. H. *(spöttisch).*   Grossartig ! Wie ungemein schottisch !

P. H. *(Gesichter schneidend).*   Du redest immer so einen Blödsinn mit deinem angelsächsischen Minderwertigkeits-gefühl ! Wenn mein Deutsch auch noch so **schlecht** ist, ich kann mich immerhin verständlich machen.

J. H. *(lachend).*   Wie bezeichnend für einen Schotten ! Die Schotten waren immer Bahnbrecher — haben **sich** immer eine Bahn gebrochen, die nach England führt.

P. H.   Bei all deiner Spottlust musst du doch zugeben, dass Schottland ein wunderschönes Land ist.

J. H.   Allerdings ! Als Erholungsort für die Schotten !

A. H.   Lass doch die dummen Witze, Jean. Wie wäre es mit dem Britischen Weltreich, wenn die Schotten nicht da wären ?

P. H. *(den Schweiss von Stirn und Nacken abwischend).* Pfui, so eine Hitze ! *(Zeigt auf* ANN, *die vom Sprungbrett*

einen Kopfsprung machen will.) Die da haben's gut! Ich
ziehe mich sofort in einer Badezelle um. (*Geht ab. Kommt
bald zurück.*) Kommt ihr mit?

A. H. Nein. Ich war schon so lange im Wasser,
ich bin jetzt ganz müde. Nach getaner Arbeit ist gut
ruhen.

J. H. Und was mich betrifft, ich lasse mich hier von
der Sonne bräunen. Ich schwimme sowieso wie eine
bleierne Ente.

P. H. Sieh, du Angelsächsin! Komm, ich lehre dich
kraulen.

J. H. Kann es schon. Stilecht nicht, aber ich komme
trotzdem vorwärts. Aber ich kann im Wasser sehr schnell
nicht weiter. Kannst du Seitenschwimmen auch?

P. H. Natürlich! Aber ich bleibe meistens beim guten
alten Brustschwimmen. Nein, Ann, wie hübsch du aussiehst, mit all deinen Sommersprossen!

ANN. Pfui doch, Onkel Peter! Es ist ja schrecklich!
Ich lasse sie mir von einem Spezialarzt wegschaffen, sobald ich in London ankomme.

P. H. Ach wie schade! Und für jedes Fleckchen, das
du wegschaffst, bekommst du wieder zwei. Aber Spass
beiseite, Ann, sie stehen wirklich deinem hübschen Gesicht.
(*Zu* MALCOLM.) Na also, du kleiner Schelm, hast du deine
Prüfung im Rettungsschwimmen bestanden?

MALCOLM (*etwas entrüstet*). Ja, schon lange her!

P. H. Schön! Angesichts dieser Versicherung kann
ich ganz ruhig schwimmen gehen. (*Steigt auf das Sprungbrett und springt ins Wasser.*)

Idiomatic Phrases

Wir brachten den Verletzten die erste Hilfe. *We gave
first aid to the injured.*

Ich werde dir durch Dick und Dünn beistehen. *I shall
stand by you through thick and thin.*

Es standen ihm die Haare zu Berge und er blieb wie
angenagelt stehen. *His hair stood up on end and he remained
rooted to the spot.*

Seine Haare spielen schon ins Graue. *His hair is already
beginning to turn grey.*

Der Dieb bekam drei Monate Gefängnis. *The thief got three months' hard labour.*

Der Preis wäre sowieso zu hoch gewesen. *The price would have been too high anyway.*

Sie essen gut in der Alexis-Bar. *You get a good meal at the Alexis Bar.*

Er ist in die Luftwaffe eingetreten. *He has joined the Air Force.*

Exercise

Crime and Punishment in New York

Louis Banks stood before the court. Although he was only 21 and his wife could claim only 19 summers the honeymoon of both seems to be a thing of the distant past. Rose, his wife, explained to the judge that her husband had boxed her ears. And Louis' luck would have it that his mother-in-law came in in the course of this chastisement, and was now in her daughter's name bringing a charge against her son-in-law. A nice how-d'ye-do, thought the judge, and decided to make an example of him.

" Louis," he said paternally, " you're a good-for-nothing."

Louis maintained a disconcerted silence.

" Do you agree ? "

Louis still said nothing.

" All right," said the judge. " You seem to understand. Now go and improve."

Louis looked up in amazement. Was he going to get away with it so easily ?

But the judge had not yet finished.

" Go to your wife and kiss her."

Louis blushed, but obeyed. In the presence of amused spectators his wife received her kiss.

" And now," concluded the judge, " kiss your mother-in-law ! "

A paralysing fear was portrayed on Louis' features.

" My mother-in-law ? " he groaned.

" Yes," replied the judge placidly. " Your mother-in-law. You must take your punishment."

And with a countenance as though he had had to drink up a bottle of cod-liver oil, Louis hurried over and kissed his mother-in-law.

Extract

Aus ,, Dichtung und Wahrheit "

Goethes erste Reise nach Sesenheim

Die älteste Tochter kam darauf lebhaft hereingestürmt ; sie fragte nach Friederiken, so wie die andern beiden auch nach ihr gefragt hatten. Der Vater versicherte, sie nicht gesehen zu haben, seitdem alle drei fortgegangen. Die Tochter fuhr wieder zur Türe hinaus, um die Schwester zu suchen ; die Mutter brachte uns einige Erfrischungen, und Weyland setzte mit den beiden Gatten das Gespräch fort, das sich auf lauter bewusste Personen und Verhältnisse bezog, wie es zu geschehen pflegt, wenn Bekannte nach einiger Zeit zusammenkommen, von den Gliedern eines grossen Cirkels Erkundigung einziehen und sich wechselweise berichten. Ich hörte zu und erfuhr nunmehr, wie viel ich mir von diesem Kreise zu versprechen hatte.

Die älteste Tochter kam wieder hastig in die Stube, unruhig, ihre Schwester nicht gefunden zu haben. Man war besorgt um sie und schalt auf diese oder jene böse Gewohnheit ; nur der Vater sagte ganz ruhig : ,, Lasst sie immer gehen, sie kommt schon wieder ! " In diesem Augenblick trat sie wirklich in die Tür ; und da ging fürwahr an diesem ländlichen Himmel ein allerliebster Stern auf. Beide Töchter trugen sich noch deutsch, wie man es zu nennen pflegte, und diese fast verdrängte Nationaltracht kleidete Friederiken besonders gut. Ein kurzes, weisses, rundes Röckchen mit einer Falbel, nicht länger, als dass die nettsten Füsschen bis an die Knöchel sichtbar blieben ; ein knappes weisses Mieder und eine schwarze Taffetschürze — so stand sie auf der Grenze zwischen Bäuerin und Städterin. Schlank und leicht, als wenn sie nichts an sich zu tragen hätte, schritt sie, und beinahe schien für die gewaltigen blonden Zöpfe des niedlichen Köpfchens der Hals zu zart. Aus heiteren blauen Augen blickte sie sehr deutlich umher, und das artige Stumpfnäschen forschte so frei in die Luft, als wenn es in der Welt keine Sorgen geben könnte ; der Strohhut hing ihr am Arm, und so hatte ich das Vergnügen, sie beim ersten Blick auf einmal in ihrer ganzen Anmut und Lieblichkeit zu sehen und zu erkennen.

Aus ,, Die Leiden des jungen Werther "

,, Ich habe deinen Vater in einem Zettelchen gebeten,
meine Leiche zu schützen. Auf dem Kirchhofe sind zwei
Lindenbäume, hinten in der Ecke nach dem Felde zu;
dort wünsche ich zu ruhen. Er kann, er wird das für seinen
Freund tun. Bitte ihn auch ! Ich will frommen Christen
nicht zumuten, ihren Körper neben einen armen Unglücklichen zu legen. Ach ich wollte, ihr begrübt mich am Wege
oder im einsamen Tale, dass Priester und Levit vor dem
bezeichneten Steine sich segnend vorübergingen und der
Samariter eine Träne weinte.

Hier, Lotte ! Ich schaudere nicht, den kalten schreck-
lichen Kelch zu fassen, aus dem ich den Taumel des Todes
trinken soll ! Du reichtest mir ihn und ich zage nicht. All !
all ! so sind alle die Wünsche und Hoffnungen meines
Lebens erfüllt ! So kalt, so starr an der ehernen Pforte des
Todes anzuklopfen !

In diesen Kleidern, Lotte, will ich begraben sein ; du
hast sie berührt, geheiligt ; ich habe auch deinen Vater
darum gebeten. Meine Seele schwebt über dem Sarge.
Man soll meine Taschen nicht aussuchen. Diese blassrote
Schleife, die du am Busen hattest, als ich dich zum ersten
Male unter deinen Kindern fand — o küsse sie tausendmal
und erzähle ihnen das Schicksal ihres unglücklichen
Freundes ! Die Lieben ! sie wimmeln um mich ! Ach !
wie ich mich an dich schloss ! seit dem ersten Augenblicke
dich nicht lassen konnte ! — Diese Schleife soll mit mir
begraben werden. An meinem Geburtstage schenktest du
mir sie ! Ach ! ich dachte nicht, dass mich der Weg hierher
führen sollte ! — — Sei ruhig, ich bitte dich, sei ruhig ! —
— Sie sind geladen. — Es schlägt zwölfe ! So sei es denn !
— Lotte ! Lotte, lebe wohl ! lebe wohl ! "

Commercial Correspondence

Zahlungen und Überweisungen

(a) *Unmittelbare Zahlungen.*

Wir (über)senden (überreichen) Ihnen anbei (durch den
Überbringer dieses Schreibens, mittels eingeschriebenen

Briefs, mittels Wertbriefs, mittels Wertpakets, durch Postanweisung) DM. 745 laut beiliegendem Sortenzettel (untenstehendem, umstehendem Sortenverzeichnis) zur Tilgung (Begleichung) Ihrer Rechnung vom 17. Oktober (unserer Schuld, unseres Kontos) gegen Empfangsanzeige (und bitten um Empfangsbestätigung, Empfangsbescheinigung).

Sie erhalten (empfangen) anbei einen nur zur Verrechnung bestimmten Scheck auf die Dresdner Bank über DM. 745, den Sie durch Ihre Bankverbindung einziehen lassen und zur Begleichung Ihrer Rechnung vom 17. Oktober verwenden wollen.

. . . mit der Bitte diesen Betrag und DM. 68 für Skonto und Porto unserer laufenden Rechnung gutzuschreiben.

Wir schulden Ihnen für Ihre letzte Sendung DM. 745. Zum Ausgleich (Zur Begleichung) dieses Betrags senden wir Ihnen anbei DM. 745 laut beiliegendem Sortenzettel und bitten um gefl. (gefällige) Gutschrift.

(b) Überweisungen.

Wir haben heute die Herren Atlas und Karte in München-Gladbach angewiesen, Ihrem Girokonto DM. 745 gutzuschreiben, womit Sie unsere Rechnung vom 6. April begleichen wollen.

Wir haben heute durch die Deutsche Bank und Diskonto-Gesellschaft DM. 745 auf Ihr Konto bei der Allgemeinen Deutschen Credit-Anstalt, Filiale Köln, einzahlen lassen. Wollen Sie unsere Rechnung bei Ihnen (unser Konto) damit ausgleichen.

(c) Empfangsanzeigen bei Zahlungen und Überweisungen.

Die Ihrem Brief vom 6. April beigefügten DM. 745 (Die in Ihrer Zuschrift vom 6. April angekündigte Barsendung von DM. 745) haben wir erhalten und Ihnen gutgeschrieben.

Wir bestätigen (bescheinigen) Ihnen den Empfang der uns in einem Scheck auf die Dresdner Bank übersandten (eingezahlten) DM. 745, die wir zum Ausgleich unserer Rechnung vom 6. April benutzt (gebracht) haben.

LESSON XIX

Conversation

Ein Fernflug

A. H. (*mit einem unruhigen Seitenblick auf seine Frau*). Möchtest du einen Fernflug machen, Malcolm ?

MALCOLM. O ja, gerne ! Wohin, Papa ?

A. H. Nach Stuttgart. (*Sieht seine Frau etwas verlegen an. Lähmendes Entsetzen prägt sich auf ihren Zügen aus.*)

J. H. Einen Fernflug ! Weshalb hast du es so eilig ?

P. H. (*mit Gemütsruhe*). Na, sieh, meine liebe Schwägerin, wir haben uns die Sache überlegt, und beschlossen, dass ein Flug nach Stuttgart eine interessante Erfahrung für dich und für Malcolm sein würde.

J. H. Unsinn ! Ihr habt garnicht an Malcolm gedacht, aber ihr wisst, dass er natürlich Flamme und Feuer für den Plan sein würde. An mich habt ihr auch nicht gedacht — ihr wisst, dass ich leicht luftkrank werde.

A. H. Wieso ? Wann hast du schon eine Luftfahrt gemacht ?

J. H. Niemals, Gott sei Dank, aber es schwindelt mir immer bei grossen Höhen, und, wie ihr wisst, ich werde leicht seekrank.

P. H. (*ermutigend*). Aber es ist nichts, Jean, es ist wirklich nichts. Man sitzt ganz ruhig im Flugzeug und plaudert, gerade wie im Auto. Man bemerkt kaum, dass man in der Luft ist und nicht auf festem Boden.

J. H. Ihr könnt alle drei nach Stuttgart fliegen — ich fahre lieber mit der Eisenbahn.

A. H. Sei doch nicht so altmodisch, Jean. So ein Angsthase ! Komm, sei ein Mann — oder vielmehr, eine tapfere und entschlossene Angelsächsin, und mach den Flug mit. Ich sage dir was : wir wollen darum losen, ja ? Wenn du gewinnst, dann fahren wir alle mit dem Zug.

J. H. (*seufzt*). Na, so eine Spielverderberin will ich nicht sein. Also gut, aber ich habe immer Pech beim Losen. Kopf !

(A. H. *wirft eine Münze empor, und diese fällt auf den Boden.* J. H. *sieht sie bestürzt an.*)

P. H. (*strahlend*). Adler ! So ist die Sache erledigt. Wir fahren mit dem Flugzeug.

(*Am Flugplatz*)

M. H. So, das ist das berühmte Tempelhof ! Wie schön ! Alles so wunderbar eingerichtet.

J. H. Ja, die Deutschen haben den Fehler nicht gemacht, wie die Franzosen in Le Bourget, den Flughafen mit Luftwaffe und Verkehrsflugzeugen zu überfüllen. Dadurch vermindern sie die Gefahr der Zusammenstösse.

MALCOLM. Seht ihr die Rauchwolke dort, mitten auf dem Flugplatz ? Ist eine Flugzeughalle in Brand geraten ?

J. H. Nein, die Rauchwolke ist immer da und zeigt dem Piloten schon aus der Ferne die Richtung des Windes. Das ist beim Landen sehr behilflich.

M. H. Was tut der Mann mit der Flagge da, in dem Turm am Ende des Feldes ?

J. H. Das ist der Starter. Es ist seine Pflicht, die Ordnung der Abfahrten zu kontrollieren, genau wie der Verkehrsschupo an Kreuzungen.

(*Nachdem sie im Restaurant gegessen haben, lassen sie sich wiegen. Dann steigen sie in das wartende Flugzeug. Mit vier Mann Besatzung sind fünfzehn Personen an Bord.*)

M. H. Ich nehme an, dass wir die Watte, die wir beim Einsteigen bekommen haben, in die Ohren stecken sollen.

J. H. Ja, denn die Propeller machen zuerst einen ohrenbetäubenden Lärm.

M. H. (*indem sie drei Seekrankheitstabletten in den Mund steckt*). Wozu dienen diese Papiertüten ?

A. H. Keine blasse Ahnung.

P. H. Die Tüten hängen da, falls man krank wird.

J. H. Du lieber Gott ! Wie scheusslich ! Ich bin überzeugt, dass ich sie werde benutzen müssen. (*Sie sieht plötzlich teufelsmässig erschrocken aus.*) Mein Gott, was ist denn wieder los ! (*Will aufstehen.*)

A. H. (*sie zurückhaltend und ihr ins Ohr brüllend*). Bleib ruhig ! Das Flugzeug startet — jetzt geht's los !

(MALCOLM *sieht gespannt zum Fenster hinaus, während die Maschine auf den Flugplatz rollt. Einige Minuten später sind sie schon in der Luft. J. H. sieht nicht hinaus. Sie versucht vergebens, sich in die „ Neue Illustrierte " zu vertiefen. Allmählich aber wird sie ruhiger und ihre Tüte bleibt*)

*unverdorben.   Und so sieht sie, als das Flugzeug auf dem
Stuttgarter Flughafen landet, ganz strahlend aus.)*

Idiomatic Phrases

Die Magda hat O-Beine. — Hat sie nicht eine Schwester ? — Ja, mit Namen Gisela.   Die hat X-Beine.   *Magda
is bow-legged.—Hasn't she a sister ?—Yes, Gisela by name.
She's knock-kneed.*

Der alte Kerl hat einen Schwips, nicht ? — Ja, es kommt
mir auch so vor.   *The old fellow is a bit tight, don't you
think ?—Yes, it seems like it to me too.*

Mache dir keine Sorge, Anna gehört nicht zu den Mädchen, die an gebrochenem Herzen sterben.   *Don't worry,
Ann is not the sort of girl to die of a broken heart.*

Es kommt darauf an, zu wissen, worauf der Kerl eben
ausgeht.   *The question is what the fellow is driving at.*

Das hängt von verschiedenen Umständen ab.   *That
depends on various circumstances.*

Exercise

(a) Peter did not understand what was happening, but
he suspected that they had got into serious difficulties.
The motor was now whirring in a most peculiar way.
Armstrong suddenly cut the strap with which he had buckled
Peter to the petrol tank.   The next moment he snapped
some sort of heavy packet on to his back and threw him,
before he could realise what was happening to him, out of
the aeroplane.

Peter screamed with fear and began to drop, half unconscious, into the depths.   Then he was conscious of a
most curious sensation, as though his downward rush were
gradually coming to an end and he was being pulled up-
wards by some peculiar force.   He looked up and saw above
his head a huge white linen air-balloon.

" A parachute ! "   The thought flashed through Peter's
head.   Around him he heard voices, blurred, horrified
shouts.   He landed on the ground, his feet touched the
sandy beach only a few yards away from the sea, and
immediately arms were stretched out to him, he was
extricated from his parachute and laid upon the sand.

For a few seconds he was forced to close his eyes and felt a bit as though he was going to faint.

(b) The great aim of the ancient Greeks was to be sound in body and mind. Of course there's nothing in it—how narrow-minded you are ! Never mind, we have reached shelter at last. Always bear in mind that speaking a foreign language aloud is the best way to remember it. To my mind you are utterly wrong. That boy puts me in mind of my young cousin in the United States. Would you mind giving me a light—the petrol in my lighter is all used up. Mind my bicycle for a moment, I want to pop into the Post Office. After twelve hours the jury were still unable to make up their mind. Does the study of foreign languages broaden the mind ?

Extract

Schöne Denkstellen aus „ Wilhelm Tell "

1. Ein furchtbar wütend Schrecknis ist der Krieg :
   Die Herde schlägt er und den Hirten.

2. O, mächtig ist der Trieb des Vaterlands !
   Die fremde, falsche Welt ist nicht für dich.
   Ans Vaterland, ans teure, schliess dich an,
   Das halte fest mit deinem ganzen Herzen !
   Hier sind die starken Wurzeln deiner Kraft ;
   Dort in der fremden Welt stehst du allein,
   Ein schwankes Rohr, das jeder Sturm zerknickt.

3. Nein, eine Grenze hat Tyrannenmacht.
   Wenn der Gedrückte nirgends Recht kann finden,
   Wenn unerträglich wird die Last — greift er
   Hinauf getrosten Mutes in den Himmel
   Und holt herunter seine ew'gen Rechte,
   Die droben hangen unveräusserlich
   Und unzerbrechlich wie die Sterne selbst.
   Der alte Urstand der Natur kehrt wieder,
   Wo Mensch dem Menschen gegenüber steht ;
   Zum letzten Mittel, wenn kein andres mehr
   Verfangen will, ist ihm das Schwert gegeben.

4. Wir wollen sein ein einzig Volk von Brüdern,
In keiner Not uns trennen und Gefahr.
— Wir wollen frei sein, wie die Väter waren,
Eher den Tod ! als in der Knechtschaft leben,
— Wir wollen trauen auf den höchsten Gott,
Und uns nicht fürchten vor der Macht der Menschen.

5. Rasch tritt der Tod den Menschen an,
Es ist ihm keine Frist gegeben ;
Er stürzt ihn mitten in der Bahn,
Er reisst ihn fort vom vollen Leben,
Bereitet oder nicht, zu gehen,
Er muss vor seinem Richter stehen !

Aus ,, Die Jungfrau von Orleans "

ERZBISCHOF

Wer bist du, heilig wunderbares Mädchen ?
Welch glücklich Land gebar dich ? Sprich ! Wer sind
Die gottgeliebten Eltern, die dich zeugten ?

JOHANNA

Ehrwürd'ger Herr, Johanna nennt man mich.
Ich bin nur eines Hirten niedre Tochter
Aus meines Königs Flecken Domremi,
Der in dem Kirchensprengel liegt von Toul,
Und hütete die Schafe meines Vaters
Von Kind auf — Und ich hörte viel und oft
Erzählen von dem fremden Inselvolk,
Das über Meer gekommen, uns zu Knechten
Zu machen und den fremdgebornen Herrn
Uns aufzuzwingen, der das Volk nicht liebt,
Und dass sie schon die grosse Stadt Paris
Inn' hätten und des Reiches sich ermächtigt.
Da rief ich flehend Gottes Mutter an,
Von uns zu wenden fremder Ketten Schmach,
Uns den einheim'schen König zu bewahren.

   .   .   .   .   .

— Und einstmals, als ich eine lange Nacht
In frommer Andacht unter diesem Baum
Gesessen und dem Schlafe widerstand,

Da trat die Heilige zu mir, ein Schwert
Und Fahne tragend, aber sonst wie ich
Als Schäferin gekleidet, und sie sprach zu mir :
,, Ich bin's. Steh' auf, Johanna. Lass die Herde.
Dich ruft der Herr zu einem anderen Geschäft ! "

Commercial Correspondence

Zahlungen und Überweisungen — (Fortsetzung)

(d) Zahlungen durch Vermittlung eines Dritten.

*Weisung des Auftraggebers an den Zahlungs-
beauftragten*

Wir bitten Sie, an Herrn (dem Herrn) Schnabel für
unsere Rechnung DM. 168 zu zahlen.

Wir bitten Sie, der Firma Bolz und Co. für unsere
Rechnung DM. 700 zu übersenden (gutzuschreiben).

Wir bitten Sie, für unsere Rechnung durch Reichsbank-
girokonto DM. 700 an die Herren Tappiser und Tietz zu
überweisen und uns dafür unter Anzeige zu belasten (vom
Vollzug zu benachrichtigen).

Rechnungsauszüge

(a) Auszüge.

Wir senden (übergeben, überreichen) Ihnen hiermit den
Rechnungsauszug (Buchauszug, Auszug Ihrer laufenden
Rechnung) vom 17. Oktober, nach welchem sich ein Betrag
von DM. 700 zu Ihren (unsern) Gunsten ergibt.

Danach (Hieraus) ergibt sich zu Ihren (unsern) Gunsten
ein Überschuss von DM. 700.

Wir bitten Sie um Prüfung und bei Richtigbefund um
gleichlautende Buchung des Überschusses (Restbetrages).

(b) Antworten auf Rechnungsauszüge.

Ihr Rechnungsauszug mit einem Vortrag von DM. 700
zu Ihren (unsern) Gunsten ist bei uns eingegangen (ein-
gelaufen) und von uns beim Vergleich (bei der Nachprüfung)
für richtig (in Ordnung) befunden worden.

Wir haben Sie mit dem Saldo (Restbetrag) von DM. 700 belastet.

Wir haben Ihr Guthaben von DM. 700 auf neue Rechnung vorgetragen.

Wir bestätigen Ihnen den Empfang Ihres Rechnungsauszuges vom 30. Juni. Wir haben ihn geprüft und gefunden, dass Sie uns die am 21. Mai geleistete Zahlung in Höhe von DM. 300 nicht gutgeschrieben haben.

Wir haben Ihren Rechnungsauszug geprüft und bis auf folgende Unterschiede für richtig befunden : dass Sie uns den Betrag von DM. 210 für die am 15. Mai an Sie zurückgesandten Waren nicht abgezogen (gutgebracht) haben.

Wir ersuchen Sie, das zu berichtigen und mit uns DM. 210 auf die neue Rechnung vorzutragen.

Wir erkennen den in Ihrem Schreiben vom 3. Juni erwähnten Irrtum an und haben infolgedessen den uns zukommenden Betrag auf DM. 215 berichtigt.

LESSON XX

Conversation

Epilog

Im Salon

(ANN *sitzt vor dem Feuer im Salon und liest. Auf der Matte liegt der kohlschwarze Wachtelhund Nicolai.* FRAU JEAN HAMILTON *sitzt am Tisch und arbeitet. Die Stille wird ab und zu von dem Gerassel der Nähmaschine unterbrochen. Plötzlich winselt der Hund und sie werden durch einen Blitz geblendet, dem ein plötzlicher Donnerschlag folgt.*
ANN *sieht ihre Mutter an.*)

ANN.   Sollen wir den Radiostecker herausziehen ?

J. H.   Ja, und mache das Licht an, es ist dunkel.

ANN.   Erinnerst du dich, Mama, an die herrlichen Wochen, die wir in Deutschland verbrachten ?

J. H.   Ja.   Es kommt mir oft wie ein schöner Traum vor.

ANN.   Kommt Vater heute abend später ?

J. H.   Nein, sein Dienst ist schon zu Ende.   Er wird durch das plötzliche Gewitter im Büro festgehalten worden sein.   Hoffentlich hat Malcolm in Schottland besseres Wetter.

ANN.   Da soll es immer sehr viel regnen.   Heute sah ich Peter McLaughlin.   Er kommt nächsten Dienstag zur Universität.

J. H.   Ich dachte, er wäre erst 16.   Was will er studieren ?

ANN.   Ich glaube, er will moderne Sprachen, Deutsch und Französisch, nehmen.

Idiomatic Phrases

Die Geschworenen bejahten die Schuldfrage.   *The jury brought in a verdict of guilty.*

Ich kann mir diesen Gedanken nicht aus dem Kopfe schlagen.   *I can't get this idea out of my head.*

Der Antrag ging mit grossem Beifall durch.   *The motion was carried with acclamation.*

Hat Anna sich ihrer Reifeprüfung schon unterzogen ? —
Ja, die hat sie mit Auszeichnung bestanden. *Has Ann sa:
for her Matriculation ?—Yes, and passed it with flyin\
colours.*

Der Angeklagte wurde des Taschendiebstahls bei einer
Dame beschuldigt, wurde aber von dem Gericht freige-
sprochen. *The accused was charged with snatching a lady's
bag, but was acquitted by the court.*

Exercise

(a) *At the Eating-house* (iii)

" You were saying something about a lover."

" Yes, didn't you know she's been going about for a
long time with Mr. Mönch ? "

" Mr. Mönch ? "

" My dear chap, don't you know him ? He's a bloke
who don't work and yet eats and drinks—especially drinks.
Must be rolling in dough. But a bit too crafty to get caught
in Magda's web—he ain't going to marry her."

" If that's true, what you're saying, then it won't be
easy to find anybody who'll marry her."

" If it's true ? Don't talk such blithering rot ! But
with her pretty little dial it wouldn't be surprising if some
regular sort fell for her. God ! I'd like to have her here
and shake the blooming life out of her."

" But isn't she a waitress at Kemmel's ? "

" Sure. But do you think he'd have taken her on if
he'd known about her past convictions ? "

" But you've just told me that everybody knows her, and
Kemmel ought surely to know that a leopard can't change
his spots. But I must be off. (*Puts his cigarette stub in
the ash-tray.*) Mrs. Jasching ! Bill, please ! (*Stands up.*)
You'll excuse me, Bahlke, I really must be off."

(b) *Electricity and the Housewife*
(*Continuation and Conclusion*)

The uses of electricity are manifold and increase daily.
New labour-saving devices are constantly being put on
the market and add materially to our comfort and leisure.

Safety devices also minimize the danger of death by electro-cution. Indeed, we might justly claim that it is only by carelessness that we now receive an electric shock from a naked contact-point, and improved accessories have greatly reduced the number of fuses that formerly somewhat dis-couraged the housewife, and it is an old-fashioned house nowadays that is not amply provided with points into which the housewife can put properly earthed plugs for heating, lighting, cleaning and cooking, for pressing clothes, for the wireless, the time and—shall I say it ?—for umpteen other purposes.

Extract

Aus dem Lustspiel „ Minna von Barnhelm "

1. Aufzug, 2. Auftritt

JUST (*nachdem er getrunken*). Das muss ich sagen : gut, sehr gut ! — Selbst gemacht, Herr Wirt ?

DER WIRT. Behüte ! veritabler Danziger ! echter, doppelter Lachs !

JUST. Sieht Er, Herr Wirt, wenn ich heucheln könnte, so würde ich für so was heucheln ! aber ich kann nicht, es muss raus — Er ist doch ein Grobian, Herr Wirt !

DER WIRT. In meinem Leben hat mir das noch nie-mand gesagt. — Noch eins, Herr Just, aller guten Dinge sind drei !

JUST. Meinetwegen ! (*Er trinkt.*) Gut Ding, wahrlich gut Ding ! Aber auch die Wahrheit ist gut Ding. — Herr Wirt, Er ist doch ein Grobian !

DER WIRT. Wenn ich es wäre, würde ich das wohl so mit anhören ?

JUST. O ja, denn selten hat ein Grobian Galle.

DER WIRT. Nicht noch eins, Herr Just ? Eine vier-fache Schnur hält desto besser.

JUST. Nein, zu viel ist zu viel ! Und was hilft's Ihn, Herr Wirt ? Bis auf den letzten Tropfen in der Flasche würde ich bei meiner Rede bleiben. Pfui, Herr Wirt ; so guten Danziger zu haben und so schlechte Mores ! — Einem Manne, wie meinem Herrn, der Jahr und Tag bei Ihm gewohnt, von dem Er schon so manchen schönen Taler gezogen, der in seinem Leben keinen Heller schuldig ge-

blieben ist ; weil er ein paar Monate her nicht prompt
bezahlt, weil er nicht mehr so viel aufgehen lässt — in der
Abwesenheit das Zimmer auszuräumen !

Vierter Aufzug.   Erster Auftritt

Szene : Das Zimmer des Fräuleins

(DAS FRÄULEIN, *völlig und reich, aber mit Geschmack
gekleidet.*
FRANZISKA. *Sie stehen vom Tische auf, den ein Bedienter
abräumt.*)

FRANZISKA.   Sie können unmöglich satt sein, gnädiges
Fräulein.

DAS FRÄULEIN.   Meinst du, Franziska ?   Vielleicht, dass
ich mich nicht hungrig niedersetzte.

FRANZISKA.   Wir hatten ausgemacht, seiner während
der Mahlzeit nicht zu erwähnen.   Aber wir hätten uns auch
vornehmen sollen, an ihn nicht zu denken.

DAS FRÄULEIN.   Wirklich, ich habe an nichts als an ihn
gedacht.

FRANZISKA.   Das merkt' ich wohl.   Ich fing von hundert
Dingen an zu sprechen, und Sie antworteten mir auf jedes
verkehrt.   (*Ein anderer Bedienter trägt Kaffee auf.*)   Hier
kommt eine Nahrung, bei der man eher Grillen machen
kann.   Der liebe, melancholische Kaffee !

DAS FRÄULEIN.   Grillen ?   Ich mache keine.   Ich denke
bloss der Lektion nach, die ich ihm geben will.   Hast du
mich recht begriffen, Franziska ?

FRANZISKA.   O ja ; am besten aber wär' es, er ersparte
sie uns.

DAS FRÄULEIN.   Du wirst sehen, dass ich ihn von Grund
aus kenne.   Der Mann, der mich jetzt mit allen Reich-
tümern verweigert, wird mich der ganzen Welt streitig
machen, sobald er hört, dass ich unglücklich und verlassen
bin.

FRANZISKA (*sehr ernsthaft*).   Und so was muss die feinste
Eigenliebe unendlich kitzeln.

DAS FRÄULEIN.   Sittenrichterin !   Seht doch !   vorhin
ertappte sie mich auf Eitelkeit, jetzt auf Eigenliebe.   Nun,
lass mich nur, liebe Franziska.   Du sollst mit deinem
Wachtmeister auch machen, was du willst.

FRANZISKA. Mit meinem Wachtmeister ?

DAS FRÄULEIN. Ja, wenn du es vollends leugnest, so
ist es richtig.

Einige Liebeslieder aus dem Mittelalter

Mein

(12. Jahrhundert : Dichter unbekannt.)

Du bist mein, ich bin dein,
Des sollst du gewiss sein.
Du bist verschlossen
In meinem Herzen,
Verloren ist das Schlüssellein :
Du musst immer drinnen sein.

Komme, komm !

(12. Jahrhundert : Dichter unbekannt.)

Komme, komm, Herzliebste mein,
Voller Sehnsucht harr' ich dein !
Voller Sehnsucht harr' ich dein,
Komme, komm, Herzliebste mein !

Süsser, rosenfarbner Mund,
Komm und mache mich gesund !
Komm und mache mich gesund,
Süsser, rosenfarbner Mund !

Halmorakel

Walter von der Vogelweide (um 1200).

Ein Strohhalm macht mich heute froh,
Er sagt, viel Glück soll mir geschehen.
Ich mass an einem Stückchen Stroh,
Wie ich bei Kindern oft gesehen,
Ob sie mich liebt.   Schaut her, hört zu !
„ Sie liebt, liebt nicht, sie liebt ! " Wie oft ich's trieb,
„ Sie liebt mich ! " stets die Antwort blieb.
Drum bin ich froh.   Doch — Glaube 'hört dazu.

Ännchen von Tharau

von Simon Dach (1605-1659).

Ännchen von Tharau ist, die mir gefällt ;
Sie ist mein Leben, mein Gut und mein Geld.
Ännchen von Tharau hat wieder ihr Herz
Auf mich gerichtet in Lieb' und in Schmerz.
Ännchen von Tharau, mein Reichtum, mein Gut !
Du meine Seele, mein Fleisch und mein Blut !

Käm' alles Wetter gleich auf uns zu schlahn,
Wir sind gesinnt bei einander zu stahn.
Krankheit, Verfolgung, Betrübnis und Pein
Soll unsrer Liebe Verknotigung sein.
Ännchen von Tharau, mein Licht und mein' Sonn' !
Mein Leben schliess' ich um deines herum.

Recht als ein Palmenbaum über sich steigt,
Hat ihn erst Regen und Sturmwind gebeugt ;
So wird die Lieb' in uns mächtig und gross
Nach manchen Leiden und traurigem Los.
Ännchen von Tharau, mein Reichtum, mein Gut !
Du meine Seele, mein Fleisch und mein Blut !

Würdest du gleich einmal von mir getrennt,
Lebtest da, wo man die Sonne kaum kennt ;
Ich will dir folgen durch Wälder und Meer,
Eisen und Kerker und feindliches Heer.
Ännchen von Tharau, mein Licht und mein' Sonn' !
Mein Leben schliess' ich um deines herum.

Commercial Correspondence

Mahnungen

(a) *Bei rückständigen Sendungen.*

Die am 4. Februar bei Ihnen bestellte Ware haben wir
dringend nötig.

Seit dem 8. Juli warten wir auf die bei Ihnen bestellten
Nähmaschinen.

Obgleich Sie uns die Lieferung der Ersatzteile bis zum
6. April versprochen haben, haben wir sie bis heute nicht
erhalten.

Wir müssen Sie daher um schleunigste Lieferung bitten ;
unsere Abnehmer drängen.

Wir können nicht länger warten. Wenn die Sendung
nicht bis zum 15. April eintrifft, werden wir die Annahme
verweigern.

Wir stellen hiermit Frist bis zum 15. April ; wenn wir
die Ware bis dahin nicht in Händen haben, werden wir
uns anderweitig decken.

(b) *Bei Zahlungsrückständen.*

Bei der Durchsicht (Beim Jahresabschluss) unserer
Bücher finden wir Ihr Konto noch mit DM. 305 belastet.

Aus unsern Büchern ersehen wir, dass der Betrag unserer Lieferung vom 10. Dezember in Höhe von DM. 305
noch nicht bezahlt ist.

Wir erlauben uns deshalb, Sie um baldige Einsendung
dieses Betrags zu bitten.

Zu unserem Befremden haben wir seit längerer Zeit
keine Zahlung mehr von Ihnen erhalten.

Seit Wochen (Monaten) (Seit unserer Sendung vom
6. April) haben wir keinerlei Nachricht mehr von Ihnen
empfangen.

Trotz wiederholter Mahnung, unsere Forderung vom
17. Oktober in Höhe von DM. 500 zu bezahlen, haben wir
bis heute weder Antwort noch Geld erhalten.

Falls Sie uns nicht bis zum 30. April den Betrag unserer
Forderung zugehen lassen, sehen wir uns gezwungen,
gerichtlich gegen Sie vorzugehen.

GERMAN-ENGLISH PHRASES, ETC.

Wie sprechen die Tiere?	How do Animals talk?
Die Katze miaut.	*The cat mews.*
Der Bär brummt.	*The bear growls.*
Das Pferd wiehert.	*The horse neighs.*
Der Esel yaut (*or :* i-aht).	*The ass (donkey) brays.*
Das Schwein grunzt.	*The pig grunts.*
Die Kuh muht.	*The cow lows.*
Der Ochse brüllt.	*The ox bellows.*
Der Löwe brüllt.	*The lion roars.*
Der Wolf heult.	*The wolf howls.*
Der Hund bellt (knurrt, kläfft).	*The dog barks (snarls, yaps).*
Die Ziege meckert.	*The goat bleats.*
Das Schaf blökt.	*The sheep bleats.*
Der Elefant trompetet.	*The elephant trumpets.*
Die Maus piepst.	*The mouse squeaks.*
Der Kuckuck ruft.	*The cuckoo calls.*
Der Vogel singt.	*The bird sings.*
Die Nachtigall schlägt.	*The nightingale sings.*
Die Lerche trillert.	*The lark trills.*
Der Spatz piept.	*The sparrow cheeps.*
Die Henne gluckt.	*The hen clucks.*
Die Henne gackert.	*The hen cackles.*
Die Ente quakt.	*The duck quacks.*
Die Gans schnattert.	*The goose cackles.*
Der Truthahn kollert.	*The turkey gobbles.*
Die Schwalbe zwitschert.	*The swallow twitters, chirrups.*
Die Eule schreit.	*The owl hoots (screeches).*
Die Taube gurrt.	*The dove coos.*
Der Storch klappert.	*The stork clacks.*
Der Hahn kräht.	*The cock crows.*
Der Rabe krächzt.	*The raven croaks.*
Die Schlange zischt.	*The snake hisses.*
Der Frosch quakt.	*The frog croaks.*
Die Grille zirpt.	*The cricket chirps.*
Die Biene summt.	*The bee buzzes.*
Die Mücke summt.	*The gnat buzzes.*
Die Fliege summt.	*The fly buzzes.*

Wie sprechen die Menschen? How do People speak?

— fragt er.	— he asks.
sagt er.	he says.
meint er.	he suggests, opines.
bemerkt er.	he observes.
ruft er aus.	he exclaims.
ahmt er nach.	he mimics.
antwortet er.	he answers.
erwidert er.	he replies.
kommandiert er.	he orders.
versetzt er.	he rejoins.
entgegnet er.	he retorts.
erklärt er.	he explains, declares.
möchte er wissen.	he inquires.
erkundigt er sich.	he queries.
denkt er (bei sich).	he thinks (to himself).
sagt er vor sich hin.	he says to himself.
schwatzt er fort.	he prattles on.
gesteht er.	he confesses.
stimmt er zu.	he agrees.
findet er.	he thinks.
lacht er.	he laughs.
lächelt er.	he smiles.
wirft er ein.	he interpolates.
summt er.	he hums.
zischt er.	he hisses.
droht er.	he threatens.
fährt er fort.	he continues.
zweifelt er.	he doubts.
brummt er.	he grumbles.
murmelt er.	he murmurs.
murrt er.	he growls, snarls.
schmunzelt er.	he chuckles.
schlägt er vor.	he suggests.
gibt er zurück.	he retorts.
fügt er hinzu.	he adds.
bittet er.	he pleads, begs.
schluchzt sie.	she sobs.
befiehlt er.	he orders.
gibt er zu.	he agrees.
jammert er.	he whines.

Wie sprechen die Menschen?	How do People speak?
behauptet er.	*he maintains.*
seufzt sie.	*she sighs.*
beklagt er sich.	*he complains.*
ihm ins Wort fallend.	*interrupting him.*
entscheidet er.	*he decides.*
spottet er.	*he mocks (jeers).*

Man sagt oder antwortet—	One says or replies—
entrüstet.	*indignantly.*
niedergeschlagen.	*crestfallen.*
schnippisch.	*snappishly.*
ermutigend.	*encouragingly.*
tröstend.	*soothingly.*
begeistert.	*enthusiastically.*
schmunzelnd.	*with a chuckle.*
beschämt.	*abashed.*
drohend.	*threateningly.*
erleichtert seufzend.	*with a sigh of relief.*
mit vollem Mund.	*with his mouth full.*
mit einem pfiffigen Seiten- blick.	*with a leer.*
sarkastisch.	*sarcastically.*
spöttisch.	*mockingly.*
kalt.	*coldly.*
mit einem kalten Blick.	*with a cold stare.*
mit einem vernichtenden Blick.	*with a scathing glance.*
langsam und entschlossen.	*slowly and deliberately.*
Blöken Sie mich nicht so an !	*Don't bellow at me in that way !*
Er fluchte leise auf Spanisch.	*He swore softly in Spanish.*
Sie antworteten wie aus einem Mund.	*They spoke as with one voice.*
Sie nickte.	*She nodded.*
Sie schüttelte den Kopf.	*She shook her head.*
Sie zuckte mit den Achseln.	*She shrugged her shoulders.*
lässig und achselzuckend.	*with a nonchalant shrug of the shoulders.*

A List of Useful Expressions

German	English
Ausgetrunken !	*Drink it up !*
Vor Taschendieben wird gewarnt !	*Beware of pickpockets !*
Vor Nachahmungen wird gewarnt !	*Beware of imitations !*
Halt das Maul ! *	*Shut your mouth !*
Hör auf !	*Stop it ! Be quiet !*
Alles einsteigen !	*Take your seats, please !*
Alles umsteigen !	*All change !*
Nicht spucken.	*Do not spit.*
Eingang verboten.	*No entrance.*
Durchgang verboten.	*No thoroughfare.*
Einbahnstrasse.	*One-way street.*
Platz da !	*Make way !*
Schön !	*Right ! Good !*
Fröhliche Wanderung.	*I hope you enjoy your walk (hike).*
Nehmen Sie bitte Platz !	*Please (to) sit down.*
Schiessen Sie los ! (Los damit !)	*Fire away !*
Stehen Sie gefälligst auf.†	*Please (to) get up.*
Nicht hinauslehnen !	*Do not lean out (of the window) !*
Fröhliche Weihnachten !	*A merry Christmas !*
Ein glückliches Neujahr !	*A happy New Year !*
Auf Wiedersehen !	*Good-bye. ' Au revoir.'*
Auf Wiederhören ! (im Radio).	*Good-bye (on the wireless).*
Gesperrt !	*Road up.*
Hände hoch !	*Hands up !*
Nicht schiessen !	*Don't shoot !*
Nicht stören !	*Do not disturb.*
Bitte !	*Please.*
Herein !	*Come in !*
Besten (Schönen) Dank !	*Many thanks. Thank you.*
Bitte schön (Bitte sehr) !	*Not at all (Please don't mention it).*

* A very coarse expression. The proper command is *Schweige !* (*Schweigen Sie !*) 'Shut up !' or 'Keep quiet !' should be rendered : *Halt den Mund !* if a fair degree of abruptness is required.

† *Gefälligst* makes the order peremptory, as to a lazy or impudent person. The ordinary request would be : *Bitte stehen Sie auf !*

Bitte schön würden Sie mir sagen . . . ?	*Would you please tell me . . .?*
Vorsicht !	*Look out ! Mind ! Take care !*
Vorsicht beim Baden !	*Be careful when bathing.*
Achtung !	*Attention ! Take care !*
Guten Appetit !	*I hope you enjoy your meal.*
Mahlzeit ! (*Better :* Gesegnete Mahlzeit !)	*I hope you have enjoyed your meal.*
Angenehme Ruhe !	*Rest (Sleep) well ! (Sweet repose !)*
Lassen Sie sich etwas Schönes träumen !	*Pleasant dreams !*
Ihnen (Dir) gleichfalls !	*The same to you.*
Viel Vergnügen (zum Wochen-ende) !	*Enjoy yourself (during the week-end).*
Gute Reise !	*Pleasant journey !*
Greifen Sie bitte zu !	*Please help yourself. Please to start eating.*
Nicht anrühren !	*Do not touch !*
Vor Nässe zu schützen !	*Keep in a dry place.*
Sehen Sie mal her !	*Just look here !*
Hören Sie mal !	*Just listen.*
Bekümmere dich um deine Sachen !	*Mind your own business !*
Auf die Stufe achtgeben !	*Mind the step !*
Karten vorzeigen, bitte !	*Show your tickets, please !*
Entschuldigung !	*Excuse me !*
Verzeihung !	*Sorry ! I beg your pardon !*
Keine Ursache !	*Don't mention it !*
Empfehlen Sie mich Ihrer Frau Gemahlin bestens.	*Give my kind regards to your wife.*
Einen Moment (Einen Augen-blick), bitte !	*One moment, please ! (Hold the line, please !)*
Erlauben Sie mir.	*(Please) allow me.*
Herr Ober !	*Waiter !*
(Ich komme) (so)gleich !	*Coming !*
Gehen Sie mir aus dem Wege !	*Get out of my way !*
Hier Amt !	*Number, please !*
Geben Sie Gas !	*Step on the gas ! Step on it !*
Viel Glück !	*Good luck !*
Gehen Sie zu ! (Immer zu !)	*Get on with it !*
Ruhe bitte !	*Quiet, please !*

Zu Hilfe !	*Help !*
Halt den Dieb !	*Stop thief !*
Mord !	*Murder !*
Feuer ! (Feurio !)	*Fire !*
Willkommen in Deutschland !	*Welcome to Germany !*
Willkommen zu Hause !	*Welcome home !*
Ehrenwort !	*Word of honour !*
Auf Ehre !	*Upon my (word of) honour !*
Prosit !	*Good health !*
Zum Wohl !	
Auf Ihr Wohl !	*Your very good health !*
Es lebe der König !	*Long live the King !*
Heil !	*Hail !*
Hört, hört !	*Hear, hear !*
Pfui !	*Shame !*
Überall ! (Alle Mann an Deck !)	*All hands on deck !*
Kusch dich, Fido !	*Down, Fido !*
Allewetter !	*The devil !*
Topp !	*Agreed ! Done !*
Es ist nichts damit !	*It's no go !*
Nichts von dem !	*No such thing !*
Gott behüte !	*God forbid !*

Spelling on the Telephone or on the Wireless

(*Wie buchstabiert man am Telefon oder im Radio ?*)

In England we make our spelling clear by this means :
we want to spell Midhurst, so we say : M for Mother, I for
Ice-cream, D for Dora, and so on. In Germany they use
a similar device, leaving out the " M for " part, or saying
A wie Anna, etc. Here is the code they usually adopt :

A	— Anna		I	— Ida
B	— Bertha		J	— Josef
C	— Cäsar		K	— Konrad
D	— Dora		L	— Ludwig
E	— Erich		M	— Magda
F	— Friedrich		N	— Nordpol
G	— Gustav		O	— Otto
H	— Heinrich		P	— Paula

Q — Quäker
R — Richard
S — Siegfried
T — Theodor
U — Ulrich

Ä — Ännchen
Ü — überall

V — Violine
W — Wilhelm
X — Xaver
Y — Ypsilon
Z — Zeppelin

Ö — Ödipus

To spell Phyllis, for instance, we should say in German: Paula — Heinrich — Ypsilon — Ludwig — Ludwig — Ida — Siegfried.

Foreign Words

There seems to be no satisfactory rule for governing the gender of foreign words. In the case of French words the French gender is often kept, although words in -age (pronounced *ah'-zhe(r)*) are mostly feminine in German. French words, too, usually take the stress on the last syllable: der Stu-dent', der Offi-zier'. Sometimes the gender of the German equivalent influences the gender of English importations:

das Baby	—	das Kind
das Girl	—	das Mädchen
der Boy	—	der Junge.

Some foreign words undergo a state of flux before becoming finally stabilized: we have heard *der Taxi, die Taxi, die Taxe, das Taxi.* We recommend *das Taxi* as the form most likely to persist. The word *die Droschke*, from the Russian дрожки, is as old-fashioned as the hansom-cab. We give a short list here, e.g. *der Pony, des Ponys, die Ponys.*

MASCULINE

Nom. Sing.	Gen. Sing.	Nom. Pl.	English.	German Term.
der Pony *(also neuter)*	—s	—s	pony	
der Schal	—s	—s	shawl, scarf	das Halstuch
der Smoking	—s	—s	dinner-suit	
der Reporter	—s	—s	reporter	der Bericht-erstatter
der Dandy	—s	—s *(or Dandies)*	dandy, fop	der Gigerl * *(or das)*

* Especially in Vienna.

Nom. Sing.	Gen. Sing.	Nom. Pl.	English.	German Term.
der Fauteuil	—s	—s	arm-chair	der Lehnstuhl
der Boykott (Boykott)	—s	—e	boycott	
der Sport	—s	Sportaten	sport	
der Lift	—s	—s *or* —e	lift	der Fahrstuhl der Aufzug
der Onestep	—s	—s	onestep	
der Twostep	—s	—s	twostep	
der Foxtrott	—s	—s	fox-trot	
der Tango	—s	—s	tango	
der Sweater	—s	—	sweater, jersey	
der Pullover	—s	—	pullover	
der Trick (*cards*)	—s	—s(—e)	trick	
der Scheck	—s	—s(—e)	cheque	
der Clown	—s	—s	clown	
der Trust	—s	—s(—e)	trust (company)	
der Bluff	—s	—s	bluff	
der Crepe de Chine	— — — —	—s — —	crêpe de Chine	der China-krepp
der Park	—(e)s	—e(—s)	park	die Garten-anlagen
der Puder	—s	—	(talcum) powder	
der Chauffeur (der Schofför)	—s	—e	chauffeur, driver	der Fahrer

FEMININE

die Courage	—		courage	der Mut
die Barriere	—	—n	barrier	die Sperre
die Nurse	—	—s	nurse-maid	das Kinder-mädchen
die Interview (*also* das I.	— —s	—s —s)	interview	
die Kamera	—	—s	camera	der foto-grafische Apparat
die Uniform	—	—en	uniform	
die Krawatte	—	—n	tie	der Schlips
die Kabine	—	—n	cabin, hut	
die Cousine (Kusine)	—	—n	girl (cousin)	die Base
die Etage	—	—n	floor, storey	das Stockwerk, der Stock

Nom. Sing.	Gen. Sing.	Nom. Pl.	English.	German Term.
die Artillerie	—	—n	artillery	
die Infanterie	—	—n	infantry	
die Kanone	—	—n	gun, cannon	das Geschütz
die Parade	—	—n	parade	
die Munition	—	—en	munitions	
die Statue	—	—n	statue	das Standbild
die Allee	—	—n	avenue	
die Polizei	—		police	
die Politik	—		policy, politics	
die Omelette	—	—n	omelette	der Eier-
(*also* das Omelett	—s	—s)		kuchen
die Weste	—	—n	waistcoat	
die Maske	—	—n	mask	
(die Gasmaske, etc.)				
die Chaussee	—	—n	roadway	der Fahr- damm
die Sauciere	—	—n	sauce-boat	
die Statistik	—		statistics	

(and other words in —ics in English)

NEUTER

das Kuvert	—s	—s	(i) envelope (ii) table cover	(i) der Brief- umschlag (ii) das Gedeck
das Cape	—s	—s	cape	
das Baby	—	—ies	baby	das Kind
das week-end	—s	—s	week-end	das Wochen- ende
das Büro (Bureau)	—s	—s	bureau, office	
das Büffett	—s	—e	(i) buffet (ii) sideboard	der Anrichte- tisch, die Anrichte
des Meeting	—s	—s	meeting	die öffentliche Versammlung
das Picknick	—s	—s	picnic	
das Beefsteak	—s	—s	beefsteak	
das Hockey	—s		hockey	
das Kricket	—s		cricket	
das Tennis	—		tennis	
das Safe	—s	—s	safe, strong-box	das Sicher- heitsfach
das Budget	—s	—s	budget	
das Hotel	—s	—s	hotel	

Nom. Sing.	Gen. Sing.	Nom. Pl.	English.	German Term.
das Dessert	—s	—s	dessert	der Nachtisch
das Parterre	—s	—s	(i) ground-floor	das Erdge-schoss
			(ii) pit (theatre)	
			(iii) flower-border	das Blumen-beet
das Ragout	—s	—s	stew	
das Négligé	—s	—s	négligé, déshabillé	
das Kotelett	—s	—s	chop	
(also die Kotelette —		—n)		
das Kostüm	—s	—e	costume, dress	der Anzug

(das Badekostüm or der Badeanzug, etc.)

das Sandwich	—es	—es	sandwich	das belegte Brötchen

(A belegtes Brötchen is a cut *roll* filled with ham, meat, paste, etc.)

das Trottoir	—s	—e	pavement	der Bürger-steig

KEY TO EXERCISES

LESSON I

Conversation

At the Office

(PETER HAMILTON'S *private secretary sits at her desk sorting the mail. In the adjacent room typists are typing like mad. The door opens and* MR. HAMILTON *enters, beaming with pleasure.*)

P. H.   Good morning, Miss Fish. Has the post brought anything good ?

MISS F.   Nothing particular, with the exception of a final demand from the Inland Revenue.

P. H.   Don't bother me with such trivialities.

MISS F.   I shouldn't say it was so trivial.

P. H.   Well, perhaps I'd better write them out a cheque. How much does my contribution to the Inland Revenue amount to, Miss Fish ?

(*Goes to his roll-top desk, unlocks it and takes a cheque-book from a drawer.*) Well, how much do they want to sting me for this time ?

MISS F.   Seventy-seven pounds sixteen shillings.

P. H.   My God ! What sharks ! (*Writes.*) Well, I read my horoscope in the paper this morning—the astrologer said that good and bad luck would alternate—I've just heard that Pegasus won the 2.30 by a short head. Put ten pounds on it and have won a cool two hundred. Pity about Aurora—that was a thorough sell. I was told—on very good authority—that it was a dead cert., and the wretched jade came in last but one. . . . That reminds me, I want to get my brother on the 'phone.

MISS F.   Shall I get the connection for you ?

P. H.   No, no, I can manage quite nicely. (*Takes off the receiver and dials a number. Spells half aloud to himself, as he turns the dial round*) : T-E-M—

133

two—o—one—two. (*He waits.*) Are you on the 'phone at home, Miss Fish ?—Oh, confound it ! Number engaged. (*Replaces receiver.*)

MISS F.   Perhaps you dialled the wrong number ?

P. H.   Nonsense. This dial-system is fool-proof, and anyway I pride myself on my— (*Telephone rings. He picks up the receiver.*)   Peter Hamilton speaking. What ? Well, I never ! Do you know, Andrew, I've only just been on to you, but the line was engaged. What ? . . . Nobody on the 'phone ? . . . Must have been something wrong with the line— What's that ? (*With a side glance at* MISS FISH.) Well, we'll leave it at that. . . . What ? . . . Maybe be. . . . Really ? . . . Good Heavens ! . . . Yes, yes, hold on a moment, I'll get them out of the safe. . . . What's that ? . . . No, no, he's angry enough with me as it is. Just one moment, please, I'll give you the numbers right away. (*Places the receiver on the desk and goes to the safe.*) Tell the girls, Miss Fish, to stop typing for a bit—I can't hear myself think.

Exercise

Im Büro

Herr Müller geht (fährt) jeden Tag ins Büro. Er fährt mit dem Zug um neun Uhr nach Waterloo, zeigt seine Abonnements-Karte an der Sperre vor und steigt die Rolltreppe hinunter, um mit der U-Bahn (Untergrundbahn) nach der „ City “ zu fahren. Er findet das Büro schön nett und sauber, da es von der Reinemachefrau (Aufwartefrau, Putzfrau) gekehrt und abgestaubt worden ist.

Das Büro ist im vierten Stock und ist mit elektrischer Beleuchtung in allen Zimmern eingerichtet. Herr Müller ist bei der Firma (ist im Hause) Rudolf Ulmenbach G. m. b. H. (Gesellschaft mit beschränkter Haftung) tätig (angestellt). Er ist jetzt der Direktor und war früher 12 Jahre lang der erste Buchhalter. Er setzt sich auf den Drehstuhl vor seinem Zylinderbüro und sieht die Morgenpost durch. An einem anderen Schreibtisch in einem benachbarten Zimmer sitzt seine Sekretärin. Herr Müller drückt auf einen Klingelknopf; seine Sekretärin tritt ein. Er diktiert einige Briefe, die sie in Kurzschrift aufnimmt und später mit der Maschine schreibt (mit Durchschlägen).

damit er sie unterzeichnen kann. Alle Briefe, Rechnungen, Quittungen usw. sind in alphabetischer Ordnung eingeordnet. Auf Herrn Müllers Schreibtisch sind kleine Fächer für Briefpapier, Umschläge, Karten und Geschäftsbedürfnisse aller Art.

Auf dem Schreibtisch ist ein Fernsprecher, ein Nebenanschluss von der Hauptleitung, die von einer Schalttafel aus in einem anderen Teile des Gebäudes bedient wird. Wenn Herr Müller wünscht, jemand anzurufen, hebt er den Hörer ab und bittet das Telefon-fräulein, ihm die Verbindung herzustellen. Sie tut das, indem sie das Amt ruft oder die gewünschte (verlangte) Nummer auswählt.

Herr Müller zieht es vor, Überstunden im Büro zu machen ; dadurch vermeidet er die Hauptverkehrsstunden, wenn er mit dem Zug nach Hause fährt. Er kommt gewöhnlich ein wenig vor sieben Uhr abends nach Hause.

Extract

(a) From " From Right to Left "

From Geneva I turned my steps on towards Strasbourg. I hoped there to find opportunities for speaking French. My father approved my plan for the very opposite reason : he considered it the duty of Old Germans to increase the feeble attendance at the University, which was almost completely boycotted by the Alsatians.

I obtained lodgings close to the Cathedral, with an old woman who had got her training as a camp-follower in the Crimean War. Her heart had remained loyal to the French, but her language had become a veritable Franco-German misunderstanding. In spite of this her tales of the war as seen by a camp-follower were a real pleasure to me—only exceeded by the pleasure I got from her baked frogs' legs. To these, as a matter of fact, she invited me once a week, on ascertaining that the " Boche " had a tongue for French delicacies, but had not the money to indulge in them at Valentin's. With what gusto I nibbled the tender, yellow little legs in the deliciously stuffed pastry !

The bourgeoisie of Strasbourg was at that time completely protest-minded. Amongst themselves the people

spoke mostly in the Alsatian dialect. But whenever an
Old German bobbed up on the horizon they immediately started off in French. The German officers and
officials were socially completely isolated. Never for a
moment did I get the impression that I was in Germany.
It was conquered territory and nothing more.

Even more clearly than in Strasbourg itself did I find
this so when I went to Pfalzburg in Lorraine, where my
cousin Strahl was stationed at the garrison. Two distinct
peoples lived there, geographically united, spiritually apart :
intruders and inhabitants. The more intelligent of the
officers were grieved at finding this. " It's just as though
a plague belt had been drawn around us," complained one
of them.

(b) From the same work

The Epilogue : " The Emigrant "

With the political rise of Hitler, democracy was finished,
at least in its old form, and the light of humanist thought
had faded away : the motõr-car was there, that is, the
first Fascist, and only a few noticed that the tempo was the
same as in Rome and Moscow. Gerlach was the last
German Democrat. In the eighth decade of his life his
clarion call was, it appeared, no longer heard in the
land.

It was from Hitler alone that his career received a last
new impetus. Like thousands of Jews who had only
through him been brought to a full consciousness of themselves, a few thousand German politicians found themselves rejuvenated by this new physical resistance. In the
January of 1933, in France, Gerlach had pronounced
himself in favour of a mutual understanding, had criticized
the Treaty of Versailles, as he had done for the past thir-
teen years, had called upon the French to give up the
Saar without a plebiscite, and had even asked for a de-
militarized zone in France on the left bank of the Rhine.
As, however, he had at the same time agreed to the dis-
armament of Germany he was sentenced to death by the
Steel Helmets : " We ask for the extreme penalty for all
traitors and those who, like Hello von Gerlach, bring the
German people into contempt."

Correspondence

Forms of Address (i)

Intimate or Familiar :

Dear
My dear
(My) dearest
| Rudolf.
| Father (Pater, Papa).
| Brother.
| Uncle.
| Friend, etc.

Dear(est)
My dear(est)
| Ann.
| Mother (Mamma, Mater).
| Sister, etc.

Dear
My dear
| Doctor (Upton).
| Sir.
| Mr. Morris.
| Vicar.
| Sir William (Pitfield).
| Lord Henry (Wellesley).
| (Lord) Bishop.
| Count.
| Friend, etc.
| Mrs. Meyer.
| Cousin.
| Lady Ann.
| Lady (Ann) Pitfield.
| Baroness, etc.

(My) dear Miss Andrews.
Dear Madam.
My dear ones.
My dears.
My dear Parents, etc.

Commercial and Formal :

Dear Sir.
Dear Madam.

LESSON II

Conversation

We have finished packing

(ANDREW HAMILTON *and his wife* JEAN *are busy packing for the journey.* ANDREW'S *sandy hair is all tousled and every now and then he stops to wipe the perspiration from his forehead and the back of his neck, and he looks cross and perplexed. All kinds of things lie in apparent disorder all about the room. The atmosphere seems to be rather tense.*)

A. H. (*pressing out the stub of his cigarette in an already over-full ashtray*). Where is Ann ?

J. H. (*with a sigh*). I have already told you umpteen times—she is spending the evening with a friend.

A. H. Why does she have to go and choose this very evening to go gadding about and frittering her time away in idle gossip ? (*Lights another cigarette.*) I hope her things are all packed ?

J. H. You are a grouser ! I think you're making yourself ill with all that chain-smoking. Of course, she packed her cases this morning herself. Can you lend a hand with this case ? The lock won't catch.

A. H. (*after closing the catches*). Whatever is Mary doing ?

J. H. It's her evening out.

A. H. Well, if that's not the limit ! It's very funny that on this particular evening—where's my blinking razor ?

J. H. Tut, tut, my dear, such language ! Why, what's that on the wireless ? Well, I've finished my things. Can I give you a hand ?

A. H. That's very sweet of you, but I'd rather you poured me out a cocktail.

J. H. No, darling, you're excitable enough as it is, after a cocktail you'd be just too unbearable. I'm making some coffee in a moment. Well, now for it !

(*They pack everything necessary and much that is unnecessary : shirts, pyjamas, shoes, razor-blades, handkerchiefs,*

138

drawers, socks, ties, soap, hair-oil, hair-brushes, three lounge suits, plus-fours, flannel trousers, etc., disappear into the large case. Finally everything has been placed by the deft hands of MRS. HAMILTON *in the neatest order in the case, but in spite of all their attempts they cannot get the case to close.*)

A. H. (*muttering to himself*). Confound it ! I'll fix it even if I have to bust the damned lid in.

PETER (*enters*). In Heaven's name, what are you taking all that stuff for ? It almost looks as though I have butted in on some conjugal infelicity.

A. H. I like to be prepared for all eventualities. (*Wipes his brow with his handkerchief.*)

P. H. I always travel light—then I cannot lose anything. Like Terence or Tacitus : omnia mecum porto.

A. H. You've made a slip there, old boy ! You mean Horace's dictum : Viator vacuus coram latrone ridet.

P. H. Did Horace really say that ? It doesn't matter. Well now, do you really enjoy this kind of pastime, or shall I help you ?

J. H. It would be nice if you'd make some coffee, Peter. You see, it's Mary's evening out.

P. H. Just as you like. Let's have a cigarette first. (*Takes out his silver cigarette-case, fitted with a petrol-lighter, and offers his sister-in-law and his brother a cigarette each, and having lit all three cigarettes he goes humming into the kitchen.*)

Exercise

Beschreibung einer Person

Ann ist ein hübsches, lebhaftes Mädchen von 18 Jahren, mit hellbraunem, welligem Haar (das hier und da ins Rotbraune spielt) und ziemlich blassem, ovalem Gesicht. Unter schön gewölbten Augenbrauen (die sie nicht zu rasieren braucht !) blickt fast immer aus ihren funkelnden braunen Augen ein sonniger Humor hervor. Diese zeigen aber dann und wann einen ernsthaften, wenn nicht leidenschaftlichen Ausdruck. Ihre Oberlippe ist wie ein Kupidobogen geschwungen und, was nicht am wenigsten anziehend bei ihr ist, sie hat am Ende des Kinnes ein zierliches Grübchen. Sie ist ziemlich unglücklich über ihre Sommersprossen, was gar nicht nötig ist, denn diese stehen ihr keineswegs schlecht.

Sie hat einen scharfen Witz, eine gesunde Urteilskraft,
und ihre Schulzeugnisse haben immer ihre Klugheit und
Tüchtigkeit gelobt. Sie hat eine ausgezeichnete Sprach-
begabung (und das gilt sowohl für die englische als auch
für die deutsche, französische und italienische Sprache),
und sie ist sehr gut im Sport und Spielen aller Art. Sie hat
besonders gerne lange Wanderungen auf dem Lande mit
ihrem Hund, einem schwarzen Wachtelhund mit einem
Stammbaum, auf dessen Länge ein Herzog wohl neidisch
sein könnte. Der Stammbaum beginnt zwar mit den
Worten : ,, Nach bestem Wissen und Gewissen . . .''

Ann ist eine gute Stenotypistin (45 Worte in der Minute)
und lernt Kurzschrift in einer Abendschule. Sie singt mit
süsser Stimme und spielt allerliebst Klavier. Ihr Lieblings-
komponist ist Chopin fürs Klavier und Beethoven fürs
Orchester. Sie ist mit einem polnischen Offizier verlobt,
den sie auf einer Ferienreise in Schottland kennen gelernt
hat.

Extract

From "All Quiet on the Western Front"

Under Fire

In the middle of the night we wake up. The earth is
booming. Above us there is heavy gun-fire. We crouch in
the corners. Shots of every calibre can be distinguished.

Each one of us reaches for his things to make sure once
again that they are there. The dug-out trembles, the
night is one long roaring and flashing. We look at one
another in each brief flash of light and shake our heads,
with blanched faces and tightly-pressed lips.

Each one of us is conscious of the fact that the heavy
fire is ripping away the trench ramparts and rooting up
the scarps and smashing the masses of concrete to pieces.
We are aware of the duller and more frenzied crump, not
unlike the heavy clawing of a snarling beast of prey, made
by a shell landing in the trench. In the morning a few
recruits look a pale green and vomit. They are as yet too
inexperienced.

A horrible grey light slowly soaks into the galleries and
makes the flashing of the shells paler. It is morning.
Now the artillery-fire is mingled with exploding mines. It

is the most frightful convulsion it is possible to imagine. Where they sweep down there is a huge grave filled with dead men.

The relieving guards go out, the observers tumble in, covered with filth and all a-tremble. One lies down in a corner in silence and eats, another, from the army reserve, breaks out into a fit of sobbing ; he has been flung twice over the rampart by the blast of the explosions, receiving nothing worse than a severe shock.

The recruits look at him. That sort of thing is mighty catching, we have to be on our guard, already the lips of various men are beginning to quiver. It is a good thing that day is dawning ; perhaps the attack will take place before noon.

The fire does not abate. It is moreover behind us. As far as the eye can reach there are fountains of mud and iron. A broad belt is being raked with gun-fire.

The attack does not come, but the shells continue to explode. We are becoming deaf by degrees. Scarcely anybody speaks. If he does, you cannot hear what he says.

Our trench is almost gone. At many points it is only a yard high ; it is broken up by holes, craters and mounds of earth. Immediately in front of our gallery a grenade bursts. Everything is suddenly pitch dark. We are smothered in debris and have to dig ourselves out.

Correspondence

To begin a Letter (ii)

Your card from Edinburgh has arrived (has reached me).

I have received your letter of the (date), for which I thank you.

Thank you } for { your pretty card.
Many thanks } { your { dear / interesting } letter.

I have gathered { with pleasure / with regret / to my (very) great { astonishment / regret }

from your letter (from —, of the —) that . . .

To end a Letter

Your devoted { Father.
               Theodore.   Your devoted { Mother.
                                            Ann.

Your { grateful
       loving
       grateful and devoted } { Son
                                 Nephew } Harry.

Your { loving
       most loving
       affectionate } { Daughter
                        Sister
                        Mother
                        Friend } A.

With best love and kisses, your devoted A.

With { good wishes,
       cordial greetings,
       all good wishes, } yours { sincerely,
                                  truly,
                                  affectionately, } S.

With every good wish, etc.

Please give my kindest regards to your wife.

Yours very sincerely, etc.

P.T.O.

P.S.

LESSON III

Conversation

In the Train

(*Scene : Victoria Station.* ANDREW HAMILTON, *his wife* JEAN, PETER HAMILTON, ANN *and* MALCOLM *alight from a taxi.* ANDREW *hails a porter and requests him to put the luggage in the luggage-van of the boat-train for Dover. The others, armed with raincoats, umbrellas and attaché-cases, enter the station.* ANDREW HAMILTON *follows them, after handing the porter a tip.*)

A. H. (*stands with the others on the platform, rummages in all the pockets of his jacket, looks in his wallet, which he takes out for the fifth time, sets out the contents of his vest and trouser-pockets, until he finally finds the tickets*). Ah, there they are ! (*Puts them back in his hip-pocket.*)

PORTER. Do you want the luggage registered, sir ?

A. H. Yes, please—as far as Ostend. Tickets ? Right-o, I'll come with you.

(*The others make their way to the compartment reserved for them.* P. H. *places the attaché-cases and umbrellas on the rack or pushes them under the seat.*)

P. H. Where would you like to sit, Jean ?

J. H. In the corner, please, facing the engine.

MALCOLM. And I want the other corner near the corridor.

ANN. No, that's my place. I don't like travelling with my back to the engine, it makes me dizzy.

MALCOLM. Pooh, what a weed ! You ought to eat more spinach, then you'd be like me, as fit as a fiddle.

(*They all sit down and make themselves comfortable.*)

J. H. Whatever has happened to Andrew ? The train is due to go out shortly, isn't it ?

P. H. Haven't the foggiest ! Perhaps he's helping some sweet young thing on to the train with her luggage. (*Looks at his wrist-watch.*) We still have a few minutes—I'll go and get you something to read.

J. H. No, don't bother, I feel too sleepy to want to

143

read. Besides, the sweet young thing might have a friend, and I should have a heart attack if you both got left behind.

A. H. (*enters the compartment*). Well, that's all settled. Here's some chocolate and barley-sugar, Malcolm—no, not now, you little rogue, wait until you're on the ship, barley-sugar's very good for sea-sickness.

MALCOLM. Me sea-sick ? Pooh, only girls are sea-sick. I'm strong and a good sailor.

A. H. Very good, in that case you can give your share to your sister. (*Turning to* JEAN.) I thought you might like something to read, so I bought you a few magazines at the book-stall.

J. H. Thank you, darling, but you need not have bothered. We were just beginning to get worried about you.

A. H. Whatever for ? Aha, we're off already.

(*On the platform the porters are banging the doors to and shouting : " Take your seats, please ! " The engine emits a shrill whistle and the train begins to move. People exchange a few last kisses and hand-shakes, or wave handkerchiefs, and the travellers receive a last farewell from the friends they leave behind. The long journey has already started.*)

Exercise

(a) ,, *Kann man den Flughafen Böblingen besichtigen ?* "

,, Ja, sicher ! Es ist ein Flugplatz mit bedeutendem internationalem Verkehr, und da ist das Deutsche Luft-fahrtmuseum und eine Gaststätte. Sie nehmen die Reichs-bahn oder den Autobus (den Bus) vom Luftreisebüro in der Fürstenstrasse aus; und die Strecke dauert etwa 35 Minuten.

Es gibt eine Fahrverbindung mit Vorortzügen ab Stuttgart Hbf. (Hauptbahnhof) bis Böblingen, und von dort ist es nur ein Katzensprung zum Flugplatz. Die Flughafen-führung kostet je 20 Pf. (Pfennig) die Person. Für grössere Gruppen kostet's 10 Pf., aber nur nach vorheriger An-meldung."

— Gibt es Gelegenheit zu Rundflügen ?

— Freilich ! Man kann einen Rundflug machen mit

einem Grossflugzeug der Deutschen Lufthansa nach tele-
fonischer Vereinbarung über das Stadtbüro : (Fern)ruf
24757 (vierundzwanzig sieben siebenundfünfzig).
— Was kostet das ?
— Ich glaube, der Flugpreis ist ab 5 Mark die Person.

(b) Die Tasten des Klaviers sind weiss oder schwarz.
Hören Sie mal die süssen Töne dieses Vogels! Heute
morgen bekam ich einige Zeilen von meinem Vetter.
Merken Sie sich wohl diese Tatsache, sie ist bedeutungsvoll.
Das ist ein sehr nützlicher Wink — ich werde ihn mir
merken. Ich achtete darauf, dass der Vorsitzende ein
Freund des Bewerbers war. Sie achtete gar nicht auf ihn.
Bis auf weiteres. Wie haben ihn darauf aufmerksam
gemacht.

Extract

From " Between the Races," by Heinrich Mann

There, however—and what did it mean ?—there Mamma
sat one afternoon in the living-room, where Grandmother
was making lace, and Mamma, her beautiful Mamma was
weeping ; yes, weeping aloud.

But as soon as she saw her little daughter she jumped
up, hugged her to her bosom, fell on her knees before her
and, struggling to choke back her sobs, called out :

" Lola ! My Lola ! Tell me, you are mine, aren't you ? "

Putting a finger on her lips, the child looked with a
frightened and questioning air at her grandmother : she
just sat there, bolt upright and severe as ever, at her
lace-making.

" Are you not mine ? " implored the mother.

" Yes, Mai."

" They want to take you away from me. Say you don't
want to go ! You don't want to go away from me, to go
away from us all ? "

" No, Mai. O God ! Where are they taking me ? I
want to stay here, with Pai, and you, and Anna ! Luiziana
has promised me a little canoe : she's bringing it to-
morrow ! "

But a big canoe was already waiting for Lola in the

evening. Beautiful Mai lay in a faint. Nene clung screaming to Lola's dress ;—but a black forced them apart and carried her, although her little arms were throttling him, down to the waterside, where he cautiously stepped with his bare feet from one big stone covered by the water on to the next. . . . The sea surged and seethed in a fury ; a broken gloom hovered about them ; and now and then a star looked down with baleful eye. The child was then put to bed ; she had not screamed, she wept softly in the dark ; the blacks rowed in silence ; and the pale gleam of the wake showed like the trail of a criminal.

From " Madame Legros," by Heinrich Mann

(Second Act : Seventh Scene)

LEGROS.   It's too much ! I'm going to put things right ! (*Is about to pass through the door.*)

GUARD.   Nobody is allowed to enter.

LEGROS.   Don't talk rot ! That woman there is my wife ! (*Pushes the* GUARD *aside.*)

(*A crowd collects.*)

QUEEN.   What is the matter ! The people !

KNIGHT (*to* LEGROS).   What do you want here ?

LEGROS.   Something that doesn't belong to you. I want my wife ! I have a right to her ! (*Seizes hold of* MADAME LEGROS.)   Clear off home !

KNIGHT (*liberates* MADAME LEGROS).   May I trouble you to show some consideration for the ladies present ? (*To the* QUEEN.)   Do not be afraid, Madame. It is only her husband. You see, the conjugal relationship has been a little disturbed.

QUEEN.   How amusing ! What is he going to do ?

LEGROS (*uncovering himself*).   With your permission, I have always been polite, nobody can say I have ever been lacking in my duties towards the ladies. This one, however, is my wife, and she is carrying on in a way I do not like to mention. (*To* MADAME LEGROS.)   Aren't you ashamed of yourself, Madame Legros ? People are talking about and pointing the finger of scorn at me. You are neglecting the business and the house. Have you anything to complain of in your husband ? Why do you run away from me like this ?

KNIGHT (*pointing to the woman's relations*). You, Mr. Legros, have sought consolation. My congratulations You have taste.

RELATION (*enters*). Nobody can say anything wrong about me.

QUEEN. What a nice family ! That's just how I pictured the people to myself.

Correspondence

(iii)

Would you be good enough to . . . me, etc.

I (We) should be glad if you would write (to) me (us) (if you would inform us) as soon as possible (with the least possible delay, at your earliest convenience) (as to) when (why), etc.

To my great regret | It is with profound | regret that } I have to { inform you | confess | admit } that . . .

I am in agreement | I fully concur } with { your suggestion (proposal). | the purport of your letter.

The contents of your letter have had a most unpleasant (distressing) effect upon me.

I thank you | I am very grateful (obliged, indebted) to you } for your kind letter (for the information contained in your letter).

No sooner had my letter of the . . . been sent off (posted, dispatched) than I received yours.

With reference | Referring | In reply } to { your kind letter | yours (your inquiry) | your favour (your offer) }

of the { 6th April | 10th of this month (10th inst.) | 28th of last month (28th ult(imo)) }

I beg to inform you that . . .
I have the honour to inform you that . . .
I would like to state that . . .
I hasten to inform you that . . .

Excuses for Delay in Answering

Please do not take it amiss that }
I hope you will not be annoyed at
I trust you will not think ill of me for}

{I have kept you waiting so long for a reply.
{my not replying before.
{not having attended before to-day to your letter.

I ask you to excuse me {for not answering before.
Pray (Please) forgive me{for not attending before to (the
               {   contents of) yours (your
               {   letter) of the 6th April.

Pressure of work has up till now (hitherto) prevented my replying to your communication.

I have just come back (returned) from a long journey (I have been away (travelling) for some time) and only just seen (read) your letter of the 6th April.

I have been very ill—I have been away recuperating from an illness—at a convalescent home after an operation —I have been by air to Paris on business (for business reasons). Unfortunately I have been confined to bed with an attack of gout.

LESSON IV

Conversation

The Ship

(The boat-train has arrived in Dover. The passengers alight and make their way to the quay. There lies the smart steamer that is to take them across the Channel. They go up the landing-bridge, where they are each given a card.)

MALCOLM. What's this card for, Daddy?

A. H. That's the way they count the passengers. If they give out so many cards, they have to collect that number of tickets when the ship sails.

MALCOLM. Look at that crane, picking up all that luggage, just as though it was as light as a feather!

ANN. Does it put the luggage on the deck?

MALCOLM. Of course not! It lowers it into the open holds, doesn't it, Daddy?

A. H. Yes. Look at that powerful touring car about to be put on the ship.

P. H. If you promise to be on your best behaviour I'll ask the purser if you can go down into the engine-rooms.

MALCOLM. Oh, that's wonderful! I'll be as good as gold.

ANN. Is this a proper ship—I mean, is there a wireless operator on board, a ship's doctor and a—a ship's carpenter, and that sort of thing?

P. H. *(laughing).* Of course it's a proper ship, and you can send a wireless message if you want to. And in case you are suddenly taken ill the ship's doctor is there to give you medical attention. Wouldn't you like to have an operation in a storm on the open sea?

ANN. No, thank you. Is there a ship's cook and a cabin boy on board?

P. H. I expect so. And waiters and a number of stewards and stewardesses into the bargain, and the captain keeps a proper log-book.

MALCOLM. Whatever is that place up there?

P. H. That's the captain's bridge. But a truce to all

these questions ! Wait there with your sister while I go
and try to square the purser.   (*Goes off.*)
(A. H. *and his wife return.*)
J. H.   Come along, Ann, we have Cabin No. 12.

ANN.   A jolly good thing we haven't got Number Thir-
teen. I hope there is running hot-water—I feel frightfully
dirty.

Exercise

(*a*) *Wie kommt man nach . . . ?*

Von Stuttgart zum Württemberg und den Weindörfern
am Neckar :

Sie fahren mit der Reichsbahn (9 Minuten Fahrt) oder
Strassenbahn Linie 25 ab Schlossplatz (24 Minuten Fahrt)
bis Untertürkheim. Dann steigen Sie durch Weinberge
nach Rotenberg und zur Grabkapelle auf dem Württem-
berg. An ihrer Stelle stand das Stammschloss derer von
Württemberg (411 m. ü. d. M.=Meter über dem Meeres-
spiegel).   Dann fahren Sie mit Linie 1 oder 21 bis zur
König-Karls-Brücke, wandern den Neckar hinauf bis
Untertürkheim ; besonders reizvoll ist eine Fahrt mit dem
Motorboot (nur im Sommer). Von Rotenberg aus wandern
Sie durch den Wald zum Kernen, einem Aussichtsturm
(1 Std.=Stunde), oder Sie können nach Uhlbach absteigen.
Von da in 20 Minuten nach Obertürkheim, dort Anschluss
an Reichsbahn oder Strassenbahn nach Stuttgart.   Vom
Kernen können Sie durch den Wald nach Fellbach absteigen,
eine besonders genussreiche Wanderung während der
Baumblüte. Von Fellbach nehmen Sie die Strassenbahn
nach Stuttgart zurück. Warten Sie mal, bitte — ich werde
Ihnen eine kleine Karte von der ganzen Gegend zeichnen.

Extract

From " Earth Spirit "

(*Act III, Scene* 10)

SCHÖN. LULU

LULU (*ironically*). You had overestimated your en-
nobling influence.

SCHÖN.   Spare me your wit.

LULU. The Prince has been here

SCHÖN. Indeed ?

LULU. He is taking me to Africa.

SCHÖN. To Africa ?

LULU. Why ever not ? You made a dancer of me for somebody to come along and take me off with him.

SCHÖN. But not to Africa !

LULU. Then why ever didn't you let me faint in peace, and thank Heaven for it on the quiet ?

SCHÖN. Because I had no reasons for believing your faint to be genuine !

LULU (*sarcastically*). You couldn't bear it down below . . . ?

SCHÖN. Because I had to bring you to a realization of what you are, and to whom you must not look up !

LULU. You were perhaps afraid my limbs might have been seriously injured ?

SCHÖN. I know only too well that nothing can injure you (indestructible).

LULU. Do you really know that ?

SCHÖN (*flaring up*). Don't look at me in that brazen manner !

LULU. Nobody is forcing you to stay.

SCHÖN. I'm going, as soon as the bell goes.

LULU. As soon as you've got the strength to go !— Where is all your strength ?—You've been engaged for three years. Why don't you get married ?—You can't think of any obstacles. Why do you want to put the blame on me ?—You ordered me to marry Dr. Eroll. I forced Dr. Eroll to marry me. You ordered me to marry the painter. I put the best possible face on it.—You can create artists, you can protect princes. Why can't you get married ?

SCHÖN (*in a fury*). You can't possibly think that you are standing in my way !

LULU (*from this point until the end triumphant*). If only you could know how happy your rage makes me ! How proud I am that you should use every possible means to humiliate me ! You degrade me to such an extent—as much as it is possible to degrade a woman, because you hope in this way more easily to be able to despise me. But you have done yourself an indescribable harm by all that you have just been saying to me. I can read it in

your face. You are nearly at the end of your self-control.
Go ! For the sake of your innocent fiancée, leave me alone !
Another minute and your mood will switch round, and you
will create another scene for which you cannot now be
answerable !

SCHÖN. I do not fear you any longer.

LULU. Dear me ?—Fear your own self !—I do not need
you.—I beg of you, go away ! Don't lay the blame on me.
You know I did not have to faint in order to wreck your
future. You have an unbounded faith in my sense of honour.
You not only believe that I am a fascinating creature ; you
also believe me to be thoroughly good at heart. I am
neither the one nor the other. Your misfortune is in
believing me to be both.

SCHÖN (*in desperation*). You leave what I believe alone.
You have two husbands dead and buried. Take the prince,
go and dance him off his feet ! I have finished with you.
I know where the angel in you ends and the devil begins.
If I take the world as I find it, the Creator bears the responsi-
bility, not me. Life is no bed of roses for me.

Commercial Correspondence

Acknowledgments, etc. (iv)

I have noted the contents of yours (your letter) of the
. . . and beg to inform you that . . .

I beg to (have to) acknowledge the receipt of your
letter of the 6th April, for which I thank you (most
sincerely).

Your letter has been received (is to hand).

I (have to) thank you for your communication.

Your letter of the . . . with (containing) various en-
closures—

> was received to-day.
> arrived to-day (came to hand to-day).
> reached me to-day.

I beg to acknowledge the receipt of the price-list for-
warded to me with your letter of the . . .

With respect to the settlement of your account I beg
to refer you to my previous communications, (copies of)
which are enclosed herewith.

I wrote to you on the 6th April that . . .

I had the pleasure of informing you yesterday (on the 16th ult.) that . . .

I assume that you have in the meantime received mine (my letter) despatched (posted, sent) on the 6th April.

To my letter of the 16th April I would like to add that . . . (Further to my letter of the 16th April I would like to point out that . . .)

I must ask (request) you to give immediate attention to my letter of the 15th September.

Further to my communication of the 6th April I (have to) regret to inform you that . . .

Adverting to (Further to) my letter of the . . .

I find myself compelled (obliged) to add the following to my letter of the 6th April (to supplement my letter of the . . .) as follows.

We have already made three applications for the settlement of our account on the 21st October of this year for (the sum of) (amounting to) £27, but have as yet received no acknowledgment (reply) from you.

Enclosures

I $\begin{Bmatrix} \text{am enclosing} \\ \text{enclose} \end{Bmatrix}$ herewith . . .

$\begin{Bmatrix} \text{Herewith} \\ \text{Enclosed} \end{Bmatrix}$ please find . . .

Enclosure(s) :

At Mr. H.'s suggestion (request) I enclose (I am forwarding you) . . .

We are sending (forwarding) to you $\begin{Bmatrix} \text{herewith . . .} \\ \text{under separate cover . . .} \end{Bmatrix}$

LESSON V

Conversation

At the Hotel

(The party is now only four strong, as ANN *has left for Bavaria. They have arranged to join up with her in Munich on the 5th August and then return together to England on the 8th.* MRS. HAMILTON *was, to be sure, somewhat nervous about* ANN *undertaking such a long journey by herself, but* PETER HAMILTON *comforted her with the observation that she was a responsible, grown-up young lady of* 18 *and was already quite capable of looking after herself.*

They alight from the taxi. A porter hastens forward to take charge of the luggage.)

P. H. Well, here we are. *(To the* TAXI-DRIVER.*)* How much do we owe you ?

DRIVER *(looking at the meter)*. Four marks seventy-five, please.

P. H. Right. Here's 8 marks. Is that all right ?

DRIVER. Thank you, sir.

(They enter the hotel and go to the reception counter.)

RECEPTION CLERK. Good morning, madam, good morning, gentlemen. We got your telegram yesterday and I have been expecting you. Everything is in readiness for you.

J. H. We asked for two bedrooms, each with two beds.

RECEPTION CLERK. Yes, madam, that is so. We have prepared Numbers 31 and 32 for you. I am sure you will find them to your complete satisfaction.

J. H. I hope the windows don't look on to the street ? I am a very light sleeper and am easily disturbed by the incessant noise of cars and trams going by.

RECEPTION CLERK. Number 31 certainly looks on to the street, but the other room has a very nice view of the Observatory gardens.

P. H. I'll take Number 31, then—the traffic doesn't bother me, I always sleep like a log.

J. H. Excellent. Is it possible to have breakfast at the hotel ?

154

RECEPTION CLERK. Yes, certainly, madam. There is a telephone in every room—you have only to lift the receiver to order anything you want. All the rooms are, as we have already informed you, provided with hot and cold running water, private bath and every modern convenience. Here are your room-cards. The price is marked on them : 25 marks, which does not include the service gratuity.

A. H. Good. Can we go up now ?

RECEPTION CLERK. Yes, of course. I will send the porter up with your luggage. Here are the keys, which you should hang on that hook over there when you go out. I should, however, like to get you to fill up the registration forms—as you are no doubt aware, that is on the instructions of the police.

(*He pushes forward a block of registration forms on the desk before him and hands* MRS. H. *a fountain-pen.*)

A. H. As you wish.

Exercise

A. H. (*zieht seine Füllfeder hervor*). Wenn Sie nichts dagegen haben, will ich mit meiner Feder schreiben. Nun also, was ist dies ? ,, Familienname und Vornamen '' — das ist leicht genug. ,, Stand '' — hm ! Ich sollte eigentlich so etwas schreiben : ,, Direktor einer Grosshandelsunternehmung,'' nicht wahr ? — klingt sehr imposant. Vielleicht auch nicht — sie können deswegen die Unkosten vermehren. ,, Ständiger Wohnort, mit Strasse und Nummer '' (*schreibt die nötigen Einzelheiten auf*). ,, Datum und Geburtsort, mit Land, Provinz, Kreis '' — Himmel ! Sie werden wohl alles über meine Muttermale und körperlichen Gebrechen wissen wollen.

P. H. Ebenso inquisitorisch wie beim Hunderennen-Club in England — da wollen sie bis auf die Farbe der Zehen des Hundes alles wissen.

A. H. Du meinst wohl die Klauen.

P. H. Es ist mir gleich.

A. H. (*liest weiter*). ,, Staatsangehörigkeit und Passnummer '' — (*zum* BEAMTEN). Woher wissen Sie, dass dies nicht alles Lügen sind (gelogen ist).

BEAMTER (*feierlich*). Das wissen wir nicht, aber es ist gesetzlich vorgeschrieben und wir müssen gehorchen.

A. H. Nun, die Deutschen sind ein freies Volk — was hat Otto Spengler gesagt ? — die ,, Freiheit des Gehorsams.'' (*Indem er seinen Pass hervorzieht.*) Das geht freilich über meinen Horizont, aber diese Vorschrift muss wohl nötig sein, da sie in allen Ländern in Kraft ist.

Extract

From the Tragedy " The Jew of Constance "
Epilogue

VOICE (*insolently pointing to the Jews*). They're the ones, them over there !

VOICES. Yes, they're the ones ! the Jews, and nobody else !

NASSON. Listen to me, all of you ! Believe me, I am a doctor ! You are all suffering from a serious illness, which always ends in death, which, however, is cured by death if this intervenes before the end. Your life itself is sick. If I were to touch you, you would fall to dust, for your clothes cover nothing but dust. You die out there, and others return home. The pillars crack in the wind. All that is a picture, nothing more than a picture which I can shatter . . .

VOICES. He is talking daft. He acts mad.

KRISPIN. We must not kill him. The law forbids us to pass sentence on a lunatic.

DORNECKER. It is only the fear of death that has got hold of him.

NASSON. I am not mad. Neither does the fear of death cloud my mind. But you, you are all mad ! Those people over there you have got for twenty thousand guilders from the Emperor. And for that you merely want to see them put to death ? For twenty thousand guilders ? If my computation is correct, you found ten thousand in cash when you took possession of them, and there's another ten thousand that you'll have to pay for this brief amusement. Don't you want interest on your ten thousand ? And compound interest at that ? Then let those sponges suck up gold once more—they will do it, for it is their way of life—then squeeze them dry again and again, and you'll find them worth a hundred thousand.

And in this way you will have cheated your Emperor out of eighty thousand guilders, eighty thousand in ready money ! Are you fools enough to let your profit slip through your fingers, and sentence eighty thousand guilders to death ?

DORNECKER. I must say we ought to think this over.

STETTLER. We can—we still have the time !

AMMANN. We must. There's been a dearth of gold for long enough—why has nobody thought of this before ?

DORNECKER. Ask yourself that question ! Mr. Mayor, speak——

MAYOR. The poisoning of the wells and the desecration of the Host have been proved against the Jews ; that the child Konrad, poor little fellow, was also a victim of theirs was at least accepted by the Court. . . . It may be——

KRISPIN. In that case Nasson cannot be sentenced. On that condition I am agreeable to such a course.

DORNECKER. Oh yes ! His hands do not pick up much, and to-day the people will want to see something for their pains. As it is I'm afraid we shan't be able to get the Jews back to the Rhine Gate with whole skins.

. . . . . .

BISHOP. Is that the one you are going to burn ?

(*The Councillors are undecided. An executioner steps up behind* NASSON.)

VOICE (*insolently*). Hoho ! Now you want to let the Doctor go ! Has he, too, got hidden treasures ? Eh ? We want to see him burn, we don't want to be done out of all our pleasure !

DORNECKER. Do not make so much noise ! We do not want to let him go !

Correspondence

Letters of Congratulation

With the passing of the Old Year I wish to offer you and your family (you and yours) my best (most cordial, heartiest) wishes for the New Year (coming year).

(Please) accept
Allow me to offer you } my best wishes for
Christmas and the New Year (the coming year).

I take pleasure in wishing you many happy returns of your birthday (in sending you my best wishes for your birthday).

Please accept my heartiest good wishes for your birthday to-morrow (to-day) (for your approaching birthday).

I should not like your birthday to-morrow to pass without offering you once again my most heartfelt wishes for the coming year.

Letters of Condolence

On the occasion of the sad death (decease, departure, demise) of (your) ——

I was deeply shocked to hear ⎫
I was deeply moved on hearing ⎬ the (sad news) of
It was a terrible blow to me to hear ⎭
the sudden (unexpected) death of your . . .

——(and) I hasten to tender you my most heartfelt sympathy.

——(and) I beg to offer you my most earnest condolences (in your affliction).

——(and) I wish to lose no time in assuring you of my deep sympathy with you in your sad loss (untimely bereavement).

The news of the sudden death of your . . . came as a most painful surprise to me.

With the most profound regret I have heard of the sudden death of your . . .

LESSON VI

Conversation

Shopping

(ANN *arrives at the shop. The place swarms with women customers and all the staff are so busy that she has to wait a long time for her turn. Finally an assistant comes up to her.*)

ASSISTANT. Can I help you, madam, or are you already being attended to ?

ANN. I want six yards of dress material, please.

ASSISTANT. Yes, madam. Please follow me. We have a fairly extensive selection. What do you want this material for ?

ANN. For a dance-dress.

ASSISTANT. How do you like this material ?

ANN. I'm afraid that is not what I am looking for. Can you show me something else ? I want a lighter shade, to match the colour of this coat.

ASSISTANT. Here is something in pale pink silk, or there's this light-blue crêpe de Chine which is quite nice. . . . No ? . . . Then perhaps this material, real silk, the pale green is a very good match for your coat, and, if I may say so, also suits your complexion.

ANN. Yes, that's the sort of thing I want. (*Goes to the door with the* ASSISTANT, *in order to examine the material more closely.*) Yes, I'll have six yards of this stuff. It will keep its colour, I suppose ?

ASSISTANT. Certainly, madam, the material will wash and will not fade.

ANN. How much is it a yard ?

ASSISTANT. Five marks 75. It is of extremely good quality and you will be thoroughly satisfied with it. Does madam require anything else ? Stockings or evening underwear ?

ANN. No, thank you. But I should like to buy myself a hat. Where is your millinery department ?

ASSISTANT. On the third floor. The lift is over there, in the middle.

ANN. Thank you. Do I pay you for the material ?

ASSISTANT. No, madam. (*Hands* ANN *a ticket.*) While you are paying at the desk I will wrap it up for you.

(In the Millinery Department.)

ANN (*after trying on various hats*). Have you anything with a broader brim ? These small hats do not suit me.

ASSISTANT. They are now very fashionable, madam, and if madam will allow me to say so, this dark blue one suits you very well.

ANN. No, I don't like it. I should like to see a few broad-brimmed hats, if you have any.

ASSISTANT. Certainly. Would you care to try this one on ?

ANN. No, blue and green do not go well together, and I shall want to wear it with this coat. I saw one in the window I liked very much. Could you get it for me ?

ASSISTANT. Of course. If you can show it to me I will get it out for you.

(*The* ASSISTANT *gets the hat indicated by* ANN *out of the window and* ANN *tries it on. She is all smiles as she looks at herself in the mirror.*)

ASSISTANT. I think that is just what you have been looking for. The style suits you wonderfully and the colour shows up the colour of your eyes.

ANN. Yes, I like it very much. How much does it cost ?

ASSISTANT. 35 marks.

ANN. That is rather dear, isn't it ?

ASSISTANT. Oh no, it is a genuine Paris model. You can wear it without any fear of seeing another like it.

ANN. I suppose you do not allow any discount for cash ?

ASSISTANT. No, I'm sorry, madam. That is the net price, as you can see from the ticket.

Exercise

(*a*) ANN. Schon gut. Bitte, packen Sie es für mich ein.

VERKÄUFERIN. Soll ich es Ihnen zuschicken lassen, gnädiges Fräulein ?

ANN. Nein, es ist nicht der Mühe wert. Wann fangen die Ausverkäufe an ?

VERKÄUFERIN. Nächste Woche, ab Mittwoch (von Mittwoch an).

(An der Kasse)

KASSIERERIN. Haben Sie die Rechnung ?

ANN (*in ihrer Tasche stöbernd und auf dem Boden umherschauend*). Ich muss sie irgendwo fallen gelassen haben — doch nein, hier ist sie !

KASSIERERIN. 35 Mark, bitte.

ANN. Können Sie mir diesen 100-Markschein wechseln ?

KASSIERERIN. Freilich ! Hier ist Ihr Wechselgeld : 65 Mark. Und hier ist die Quittung, gnädiges Fräulein.

ANN (*steckt die Quittung nebst dem Wechselgeld in ihre Handtasche*). Ich wünsche ein Paar starke Sportschuhe — können Sie mir sagen, wo die Schuhabteilung ist ?

KASSIERERIN. Zweiter Stock, links.

(b) Dieser Stoff ist haltbar. Welch ein himmlisches Kleid ! Es sitzt wie angegossen. Es ist gut gearbeitet. Ja, meine Schneiderin ist ausgezeichnet. Kaufen Sie immer fertig ? Nein, ich lasse mir in der Regel meine Anzüge nach Mass machen. Die zweireihige Jacke ist ein bisschen eng unter den Ärmeln. Die kleinen Änderungen, die nötig sind, sind im Preis eingeschlossen. Ich wurde gestern vom Regen überrascht, und die Falten meines Plisśerocks sind herausgegangen. Sie können es ganz leicht wieder aufbügeln. Handschuhe, mein Herr ? Welche Grösse ? Sechs drei Viertel bitte. Ich wünsche so ein Ding, aus Seide. Na, wie feingeschniegelt du aussiehst ! Bist du zu etwas Vermögen gelangt ?

Extract

From the " Story of Ludolf Ursleu, Junior "

Tenth Chapter

Once, out of curiosity, I attended the course of a professor lecturing on an abstruse philosophical matter. In the rows of his students I noticed a young girl who struck me as particularly attractive, in spite of my prejudices, of pure Slavonic type, with a quite colourless, oval face, round which hung short, passionate curls of the deepest black. Her eyes, full of a melancholy absorption, hung closely on the lips of the professor and I could not help admiring the young creature who could take in these dry and subtle things so assiduously. I took to attending these lectures regularly, only in order to revel in the sight of the girl ; for I must confess that I have always been, and was particularly at that time, too much addicted to luxury and idleness to be able to give myself up to abstract philosophical problems. The melancholy beauty, united with so much intellectual talent, completely fascinated me and I hit upon the resolve to strike up an acquaintance with this foreign maid, an undertaking not beset with any considerable difficulty. She behaved with courtesy and decorum, immediately adopted a confiding attitude towards me and told me she was called Vera, with a long and difficult Russian surname. My inability to pronounce this properly afforded me the excuse to call her Miss Vera, to which she smilingly agreed. I first of all started by talking to her about the matters treated in the lectures, but she immediately explained to me that she was attending the lectures not for the subject itself, but only to hear German spoken, for she was not yet proficient in the language ; she had heard that the professor in question spoke a particularly fine German and it was for that reason she was going to all his lectures. As I now had more sympathy with the conditions in which the colony of Russian students lived, I paid more attention to what was said about it, and more than anything else I heard reports of the great poverty of these unhappy folk, who literally bought the enjoyment of science at the sacrifice of their physical needs, like the brave German scholars during the period of humanism. Suddenly it occurred to me that the anaemic pallor of the lovely little face might be occasioned by insufficient food, and knowing full well how miserable I myself should feel in such circumstances I was filled with an uncomfortable sympathy and decided not to see this going on for a day longer. The most delicate way of helping her seemed to me to invite her to go for walks into the neighbouring hills, and in this way it would be perfectly natural to come across a nicely situated open-air restaurant and have something to eat. This turned out as well as I had dared to hope. She readily consented to go with me, but was so lacking in physical strength and so unused to long walks that she soon desired to take a rest, and even advised me on the best and most agreeable place where we could get refreshment. It was a pleasant building, surrounded by poplar-trees and situated in the midst of vineyards, from which we could see deep down below us the smoky, busy, straggling town, and in the distance, towards the east, the silver-grey, jagged outline of the Alps. I ordered wine, bread and cheese ; to do more I did not dare. Vera's eyes glistened, and whilst eating and drinking she became very animated and chattered gaily about the things I wanted best to hear : about her parents, her home, the conditions obtaining there, the Nihilists and the Anarchists.

Correspondence

(vi)

I $\begin{Bmatrix} \text{should} \\ \text{shall} \end{Bmatrix}$ be pleased (delighted) if you $\begin{Bmatrix} \text{would (could)} \\ \text{will (can)} \end{Bmatrix}$ come to dinner with me (at my house or flat) on Sunday next at 7 o'clock.

If you have nothing better to do (nothing particular on hand) I should be glad to have the pleasure of your company at a bachelor's dinner (stag-party) (social evening) at my house (flat) on the 4th February.

It $\begin{Bmatrix} \text{would} \\ \text{will} \end{Bmatrix}$ give $\begin{Bmatrix} \text{me} \\ \text{us} \end{Bmatrix}$ great pleasure if you and your wife $\begin{Bmatrix} \text{would} \\ \text{will} \end{Bmatrix}$ come to tea with $\begin{Bmatrix} \text{me} \\ \text{us} \end{Bmatrix}$ on Tuesday next, the 6th April, at 4 o'clock.

Formal

Mr. (and Mrs.) W. request the pleasure of Mr. (and Mrs. and Miss) K.'s company——

Mr. and Mrs. Z. request the pleasure of Mrs. B.'s (Miss A.'s) company at tea (lunch, dinner—with a small gathering of friends—at a quiet, informal dinner) on the 6th April at . . . o'clock.   R.S.V.P.

Replies to Invitations

Accepting :

I thank you (very much) for your kind invitation for Wednesday, 30th November. I shall be pleased to be present (I shall have much pleasure in accepting).

Please accept our best thanks for your kind invitation to a social evening on Friday, 18th June. We shall be very pleased to come and spend a few hours with you.

I shall have much pleasure in accepting (availing myself of) your kind invitation to a social evening on Wednesday, 1st May, and shall arrive at the appointed hour.

Declining :

It was very kind of you to send me your kind invitation —I thank you (most sincerely) for your kind invitation. Unfortunately (To my great regret) I am unable to accept (I shall not be able to come—it is impossible for me to avail myself of it), as I shall be working (on duty) that evening (have to go away for several days on business—already have another engagement for that evening—am expecting visitors on that evening—have a bad cold (am very ill) and am forced to keep indoors—have made an appointment for that evening with my (the) dentist).

LESSON VII

Conversation

At the Theatre

ANN. What's on to-night at the theatre ?

IRMA. Don't know, darling. Where's the paper, we'll have a look. Here it is, on page eight : " Old Theatre, Richard Wagner Square, Telephone 21416. Wednesday, 27th July : Faust, First Part, Tragedy by Johann Wolfgang Goethe."

ANN. Yes, I really must see that while I'm in Germany. At what time does the performance begin ?

IRMA (*reading from the paper*). Admission 7.30, the play begins at 8 o'clock and finishes at about 11. I suppose you have never seen " Faust " ?

ANN. Yes, I have, in London, but that was only an amateur performance. You'll go as well, of course ?

IRMA. Naturally, if you don't mind. I can't allow you to go to the theatre by yourself, as I have promised your mother to take jolly good care of her daughter.

ANN. That's all piffle ! My dear mother has got it into her head that I'm a regular schoolgirl, and it was only at the eleventh hour that she agreed to my coming here by myself.

IRMA. Well, we're not really as wild and ferocious as all that, but perhaps she was right. But to get down to brass tacks, as I have an appointment with the dentist at half-past ten——

ANN. Have you ? Are you having a decayed tooth taken out ?

IRMA. No, it's not as bad as that, but two teeth have to be filled. Well, then, shall I order the tickets over the 'phone or would you sooner go to the theatre and get the tickets yourself ?

ANN. I don't mind either way. When is the box-office open ?

IRMA. The box-office hours are from 11 to 1 in the mornings and again from 5 o'clock to 8 in the evenings.

I think it would be best if you went yourself to the theatre.

ANN.   What do they charge for the seats ?

IRMA.   Seats at German theatres are not very dear : from 2 DM. up to 12 DM.*

ANN.   You can therefore go fairly often to the theatre without being a regular Crœsus.

At the Box-office

ANN.   I want two orchestra stalls, please, in the middle, not too far from the stage, if this is possible.

CASHIER.   I'm sorry, the orchestra stalls are all sold out. We have two pit-stalls left, or perhaps you would prefer a box on the left of the theatre ?

ANN.   Are the balcony-boxes also taken ?

CASHIER.   I'm afraid they are. You can, of course, have two seats in the gallery, if you like.

ANN.   No, thank you, I shouldn't be able to hear in the " gods." I will take the side box. How much does that come to ?

CASHIER.   Nine marks, please . . . Thank you.

Exercise

(a) Kurz vor Beginn der Aufführung des Spieles betreten Ann und Irma den Kassenraum des Theaters. In der Garderobe geben sie ihre Regenmäntel ab, bekommen dafür numerierte Zettel und gehen dann an den Spiegel, um sich das Haar zurecht zu machen und sich die Nasen mit der Puderquaste zu betupfen. Auf der teppichbelegten Treppe kaufen sie sich bei einer der dort herumstehenden Theaterdienerinnen ein Programm und lassen sich ihre Plätze zeigen.

Die Lichter verdunkeln sich. Goethes weltberühmte Tragödie (weltberühmtes Trauerspiel) beginnt. Während des Spieles sitzen sie still und aufmerksam. In dem Zuschauerraum ist das Rauchen verboten und nach dem Klingelzeichen zum Beginn des Spieles wird nie geplaudert. Während der Pause begeben sich Ann und Irma zum Erfrischungsraum (Foyer). Hier holen sie sich Kaffee,

* DM. = Deutsche Mark

Sandwiches (belegte Brötchen=*sandwich rolls*) und ein
Gefrorenes (ein Eis) am Marmortisch (Büffett) und
plaudern über das Spiel, (über) Faust, (über) Goethe und
(über) alles Mögliche.

(*b*) Dieses Wort ist nicht mehr gebräuchlich. Das ist
ein höchst seltsamer Anblick. Er kam wie gewöhnlich
betrunken nach Haus(e). Diese Soldaten sind nicht einmal mit dem Gebrauch eines Gewehrs bekannt gemacht
worden. Ich pflegte früher jeden Tag Klavier zu spielen
(Ich spielte früher jeden Tag Klavier), aber jetzt rühre ich
die Tasten nie an. Sie waren an solche grobe Arbeit nicht
gewöhnt. Ich möchte wissen, warum du die Stellung nicht
aufgibst. Wir bewunderten alle seinen wunderbaren
Körperbau. Er wurde in der Seeschlacht bei Kap Matapan
verwundet. Es hat keinen Zweck zu laufen, der Zug ist
schon abgefahren. Was hilft es doch, mit so einem (solch
einem, einem solchen) Mann zu disputieren ? Er zeigte
wie gewöhnlich eine mürrische Miene.

Extract

From "*The Princess*"

Chapter 39

" You see here many kinds of creatures," said Professor
Kostomarov, and they stopped somewhere, " fishes, shell-
fish, snails, small crabs, brittle-stars, all possible kinds—
all of them extremely remarkable and interesting, if you
only take the trouble to study their habits. We get, of
course, now and then visits from foreigners who come here
and stand around and look and get thoroughly bored and
don't understand much. But we don't get a lot of visitors.
There are probably too many amusements on the coast.
And then, of course, our place is not to be compared with
the big institutions, like the one in Naples, for instance.
Earlier on it was the administrative offices of our Russian
government when the coaling-station for the fleet still
existed here. But all that must be very boring . . ."

" Oh not at all," said Matthias politely.

" What I meant was : foreigners are possibly right in

not crowding up here. Many of our young gentlemen, who put in a good deal of work, get quite angry if anybody comes. You ought to hear my assistant Jegornov copying the foreigners, especially the ladies : " Ah, Gaston, regardez donc les jolies couleurs. Comme c'est délicat, ce joli vert-là ! ' " M. Kostomarov rounded his lips and spoke as daintily as he could, but he gave it up and said with a smile : " That is very poor, I am no good at it, you must hear Jegornov do it." Matthias gave a short laugh. He was thinking of the couple in the dining-car of the express. How long ago that was !

" This is a beautiful tank, don't you think ? " said M. Kostomarov. " Large actinias, rare specimens, some of them. They look just like flowers, all these creatures, which cling to a lump of rock, waving their arms about so gently. Sea-pinks, sea-roses, sea-anemones—pretty names, aren't they ? But they do not live like flowers. They are extremely voracious, never seem to get enough to eat. And the flower-like arms are tentacles. But you probably know all about that. . . . But what, Mr. Matthias, do you think is the purpose of their living ? Could the world not go on without them ? But none of you ever think about it at all."

He is talking a great deal in order to console me, thought Matthias, gratefully. And I believe he is consoling me a bit. . . .

" And how they all cling to life," went on the Professor, as he strode on. " Just think how they live their lives, without stopping to consider whether they deserve to exist. . . ."

LESSON VIII

Conversation

A Game of Golf

(*Scene : A wide stretch of country, resembling a park, with large areas of turf, here and there clumps of trees, hills, glens, water-courses, with the addition of obstacles as on a steeplechase course, such as hedges, earth-walls, ditches and flat pits filled with sand, the so-called bunkers, and, in the background, a stately club-house in cottage style.*

ANN *is being initiated by the professional into the intricacies of the difficult game of Golf. Again and again she has to repeat the starting stroke or drive. One ball after another is placed on the ground before her by the calm and impassive teacher, with his short pipe eternally stuck in his mouth. A few people approach, which* ANN *finds puts her off her balance. But one must get used to onlookers. So many people can play quite creditably when alone, but lose their nerve when being watched by a crowd.*

At every stroke the impassive mouth of the professional calls out his criticism : " Eyes wrong. If you do not watch the ball until the very last moment, you cannot hit it properly."
" Too much right hand. You're not chopping wood. You must follow-through with both hands."—" Feet wrong ."——" Keep your body firm. Turn only on the shoulders and hips." —" After each stroke follow-through with both hands in the direction of the ball."

DR. TELLERBACH *comes up, followed by his caddy. He watches for a few minutes.*)

DR. T. (*to the* PROFESSIONAL). I expect you find it a bit wearisome standing like that on one spot and always preaching the same thing ?

PROFESSIONAL (*with a smile and without removing his pipe from his lips*). Yes, it's worse sometimes than breaking stones. But it depends on circumstances (*with a glance at* ANN).

DR. T. Yes, of course, I can well understand that.

You don't mind if our young Englishwoman—or I should say, young Scotswoman—plays a round with me ?

PROFESSIONAL. No. One learns so much more quickly with some competition. The young lady should make rapid progress, since Scotland is the home of golf.

(ANN *and* DR. TELLERBACH *go with their caddies to the first tee. Here, on a somewhat raised area,* DR. TELLERBACH *places his ball on a wooden peg stuck in the turf. With the long driver, the starting club, one always starts off from a support called a tee,* DR. TELLERBACH *explains. A red flag flutters in the wind on the green about* 400 *yards away.* DR. TELLERBACH *waggles the driver with its wooden head several times and then lets drive. The ball speeds through the air and comes to rest, after travelling well in the direction of the target, about two hundred yards away in the middle of the fairway. His caddy immediately stations himself near the ball.*

They then go to the ladies' tee about 50 *yards further on.*)

ANN. I cannot hope to compete with you. You are much too good for me. A game like this cannot be very exciting for you.

DR. T. Why ever not ? In golf a weaker player doesn't hinder a better one in the least, and even if he does, the charm of this unique game does not reside in the competition of physical prowess, but in walking in the open air and in spiritual contact with kindred spirits—especially when the spirit is a charming young lady.

ANN. Heavens above ! If you talk like that, my dear Doctor, I shall find it utterly impossible to keep my eye on the ball, as my attention will be hovering between it and my spiritual effect on you.

DR. T. (*with a laugh*). You need not worry about that. Wooden peg, sand or rubber tee ?

Exercise

In der Kneipe (i)

Hans Hasenwinkel hat Spätdienst. Da er das Mittagessen verschlafen hat, will er sich nun vor seinem Nachtdienst gehörig stärken. Er tritt also in eine kleine Kneipe ein.

Etwas später setzt sich sein alter Freund Kurt Bahlke ihm gegenüber.

,, Du hast doch nichts dagegen, dass ich mich zu dir setze ? " fragt Bahlke.

,, Aber im Gegenteil, ich freue mich."

,, Dein Pfannkuchen riecht grossartig, ich will mir auch einen bestellen. Wie geht es dir eigentlich, Hasenwinkel ? Ich hatte dich ganz aus den Augen verloren."

,, Danke, mir geht es gut."

,, Ich sah dich gestern abend, ich fuhr mit meinem Rad an dir vorbei. Du gingst mit der Olga, und ich dachte schon, sie hätte wieder einmal etwas ausgefressen. Aber als ich sie eben jetzt mit ihrem Liebhaber sah, wusste ich, dass ich mich getäuscht hatte."

Extract

From the series of novels entitled " The Wonder Child "

A Troubled Hour

He groaned, pressed his hands to his eyes and went like a hunted creature across the room. What he had just thought was so terrible that he could not remain in the spot where the thought had come into his mind. He sat down on a chair by the wall, let his folded hands hang between his knees and stared gloomily down at the floor.

Conscience . . . how loudly his conscience shrieked ! He had sinned, had sinned against himself all through the years, sinned against the delicate instrument of his body. The extravagances of his youth, nights spent without sleep, days in rooms stuffy with tobacco-smoke, too much brain-work, unmindful of his body, the intoxicating drinks with which he whipped up his tired mind to further effort —all that was now having its revenge, its cruel revenge !

And if it did take its revenge, then he would defy the gods who allocated the blame and then inflicted the punishment. He had lived as he was forced to live, he had no time to be wise, no time to be prudent. Here in this spot in his chest, when he breathed, coughed, yawned, always in this same point this pain, this small, devilish, stabbing, knife-like admonition which would never remain silent since, five years ago, in Erfurt, that fiery chest complaint, acute bronchial catarrh, had laid him low—what did it mean ? Indeed, he knew only too well what it meant— let the doctor say what he could or would. He had no time to take himself wisely in hand, to husband his strength with kindly morality. What he wanted to do he must do quickly, that very day, without delay. . . . Morality ? But how did it finally come about that this sin, the surrender to the harmful and the destructive, seemed to him more moral than all the wisdom and cold discipline ? Passion and pain and the struggle against dire need were the moral forces—not the contemptible art of a good conscience !

From the " Considerations of an Unpolitical Fellow "

German Romanticism possessed no generally accepted word which could correspond to the French *bohémien*. As for *bourgeois* it has certainly become an international word due to the capitalistic age, but to translate it by *Bürger* is a bad literary solecism. German Romanticism spoke of Philistines. But *Bürger* and *Philister* is not merely a distinction, it is a contrast. For the Philistine is an essentially unromantic person ; to German *Bürgerlichkeit*, however, there belongs an undeniable romantic element : the *Bürger* is a romantic individualist, for he is the spiritual product of a super-political or pre-political period, of a period of human ideals in which, as Turgeniev says in his " Faust," " Society broke up into atoms and proceeded to its own negation, every citizen being transformed into a Human Being." Let us therefore call—and we are already doing so to-day—the *Bürger* or Citizen in his spiritual Pure Culture an Atomist ; to identify this idea of atomic creative individualism with that of Philistinism will always be a very difficult problem. The Philistine is a *Spiessbürger*, a narrow-minded conception of *citizen*, a State subject, and does not go beyond that. Schopenhauer, who declares the State to be a mere protective organization against the innate injustice of humanity, rails against the " Philosophasters " (particularly Hegel), " who, in pompous phrases, represent the State as the highest aim and the zenith of human existence and by so doing deliver an apotheosis of Philistinism." The German citizen to-day is a State subject, an Imperial subject, and the war is working with Might for the completion of his political education. But he will never be a State Philistine or an Imperial Philistine, will never learn to believe that the State is the goal and meaning of human existence, that the destiny of the individual is merged in State, or that politics are a humanizing influence.

LESSON IX

Conversation

In the Park

(ANN *is lying on the grass not far from the lake, reading a novel. Not far away some children are playing with a ball, flying their kites, running about on scooters or amusing themselves on swings and seesaws. At the edge of the lake is a typical " John Citizen " unpacking his fishing-tackle. His rotund wife has just settled down on the grass and is taking out her knitting. Their son, a queer little chap, is trying to fly his wretched-looking kite. Their daughter, to all appearances a half-baked girl of twelve, is at this moment standing on her head near the water's edge. The following conversation then takes place, with* ANN *as an amused spectator.*)

JOHN CITIZEN. Confound it! I've run this blinking hook into my finger again!

ROTUND WIFE. Well, put some iodine on it this time, you know what happened last time.

J. C. Oh, it's nothing. These damned worms have got such tough skins.

R. W. Ugh, how horrible! I can't make out how you can touch them.

J. C. (*having fixed the live bait on his hook*). Well, here goes! (*Casts. The hook whisks off the* ROTUND WIFE'S *hat. The hat lands on the surface of the water about ten yards away.*)

R. W. That's just like you, you great big fool! I can't make out why I came with you—my ear still hurts from last time!

(J. C. *looks at his wife in dismay.*)

HALF-BAKED GIRL (*giggling*). Look, there's Mummy's hat floating on the water!

R. W. Shut up, you stupid hussy, and get down off that fence, or you'll be falling in the water. (*To* J. C.) Go on, get the hat out before it's soaked through! You are just like a bull in a china-shop!

(BOY *who has just succeeded in getting his kite to fly,*

begins to run after it, holding the string in his left hand and shading his eyes with the right hand. His feet get caught in his father's line, he trips up and falls headlong amongst the tins of worms, floats, hooks and so on.)

J. C. (*beside himself with rage and worry*). You blithering idiot! If that isn't the last straw! (*He looks towards the hat, which is being blown away by the strong wind.*) It's all your fault, you silly donkey! Get out of my way or I'll knock you spinning.

R. W. I never thought I should have to put up with this sort of thing! Can't you do something, instead of bellowing at that poor boy?

J. C. Oh, shut up, do! (*H.-B. G. falls off fence into the water.*) My God! That would have to happen!

(*H.-B. G. appears on surface of water, utters an earsplitting shriek and again disappears under the water.*)

R. W. Go on, jump in after her, you coward—how can you stand there like that and calmly watch your own daughter drown!

Exercise

(*a*) (SPIESSBÜRGER *zieht seine Jacke und Schuhe aus und stürzt an das Ufer. Das Mädchen taucht wieder auf und stösst einen furchtbaren Angstschrei aus.*)

KUGELRUNDE FRAU. Du lieber Himmel! Sie geht jetzt zum dritten Male unter!

(*S. taucht ins Wasser und kehrt endlich, schnaubend und keuchend, mit dem bewusstlosen Mädchen ans Ufer zurück. Mutter und Vater machen dem Mädchen abwechselnd künstliche Atembewegungen. Das letztere kommt endlich zu sich (zum Bewusstsein). Mutter gibt ihr einen Schluck starken Kaffee aus einer Thermosflasche. Junge kommt aufgeregt heran.*)

JUNGE. Vati — Vati!

S. Was ist denn wieder los?

JUNGE. Sieh mal dort hin! Dort steht angeschlagen: Angeln verboten! und — und ——

S. Und was?

JUNGE. Na, der Parkaufseher kommt heran —

S. Pack meine Rute möglichst schnell zusammen, ohne dass der es sieht — und steck all das Zeug unter meinen Regenmantel.

(b) (ANN *sieht auf ihre Uhr. Es ist ein Viertel (auf) vier (Viertel nach drei) und sie muss rasend schnell fort, denn sie ist vom Friseur auf halb vier bestellt. Sie möchte sehr gern dableiben, um zu sehen, was mit dem Hut und der Angelrute geschehen wird, aber diese Verabredung muss sie leider pünktlich einhalten. Sie geht heute abend auf einen Ball und sie muss sich unbedingt das Haar schneiden und ondulieren lassen.*)

ANN (*spricht vor sich hin*). Nun, wenn ich bei Tellerbachs die ganze Geschichte erzählen würde, würde sie ihnen wie noch eine Mordsgeschichte vorkommen !

Extract

From " Redemptions "

Self-discipline

Man, thou must educate thyself. And many a one will expound it thus to thee : Man, thou must flee from thyself. Protect thyself from such people !

Settle accounts with the powers in thee and around thee. They point to two things : either thou wilt fashion Life, or Life will fashion thee.

Many a one has educated himself. Has he also disciplined his Ego ? None has yet reached up to God, who flees from God's devils.

From " Women and the World "

The Harp

The tall pines of the forest move restlessly. The clouds roll by from east to west. Noiselessly and hastily the crows go back to roost. Out from the brown branches comes the dull sound of the wood, and duller still are my footsteps.

I have already walked over these hills when I as yet knew not the storms of longing, as yet was unused to raise my arms at your primeval sounds and stretched up into the sublime about your giant boles.

At great intervals, scarcely moving, rise up the grizzled trunks. Through their evergreen tops sweeps the pressure of loud and pent-up might as it did then.

And one stands there, cleft like an Earth God's hand in five mighty fingers. It still gleams gold-brown down to its roots and stretches up still higher than the stiff old solitary boles.

Through the five fingers a tough struggle goes on as though they fain would tear themselves apart. Through their summits a convulsion writhes and plays as though they tore impatiently at the strings of some enchanted harp.

And from the harp there comes a heavenly sound to be carried mightily onward from East to West. I have known it well since I was a boy. Dull sounds the wood from the brown branches : Come, O Storm, and accede to my request !

How I have longed for a hand which would fit mightily into mine ! How I have stretched my fingers till they hurt ! The whole hand nobody could grasp ! Then I would close it into a clenched fist.

I have knocked about with all manner of fervour between God and Beast. I stand and examine the journey already done : only one ardour can be faithfully endured : to the whole world.

Come, O Storm of the Almighty, shake the stiff forest ! Thou shakest me too, thou primeval Urge. In shy masses the crows fly back to roost. **Give me the strength to remain in solitude, O World !**—

LESSON X

Conversation

The Motor-car : The Owner-driver

(DR. TELLERBACH *is talking to a neighbour about his car.
The latter is busy with a few small repairs.*)

DR. T. Well, how's the car going ?

N. Oh, not too badly. The worst of it is, when you buy a second-hand car, you never know what's going wrong next.

DR. T. I hope you don't spend half the day on your back under the car by the roadside ?

N. It's not as bad as that. But I'm not well up in these makes and I'm always forgetting things, which causes me a lot of bother.

DR. T. Well, it's fairly easy to go without oil, until a violent knocking tells you that something has gone wrong. But one cannot get very far without petrol. (*He lifts up the bonnet and looks inside.*) The engine appears to be all right. Does she climb well ?

N. Oh yes. Yesterday I went up a fairly steep hill— one in ten, I believe—and got quite easily to the top in second gear. It'll do up to 50 miles an hour on a level road, but it's the small things that are always going wrong, like the electric screen-wiper, the direction-indicators and so forth. Yesterday I had the devil of a job to get the engine to start at all. I couldn't do a thing with the self-starter, and after several unsuccessful attempts to crank the thing up I nearly dislocated my arm.

DR. T. H'm, it sounds like a worn-out battery.

N. Can't be—I only had it charged last Sunday.

DR. T. My dear fellow, if the zinc plates are worn out no amount of charging will do any good. You can have it fitted with new plates, or better still, throw it in the dustbin and buy a new one. I'll have a look at your battery, I'll be able to tell in a jiffy whether it's worn out or not. Aha, a French make ! Any trouble with spare parts ?

N. No, they're to be had in any first-class garage. My

Panhard-Levassor is not, of course, to be compared with your Mercedes 40 h.p. Sports model, but on the whole I'm fairly satisfied with it. I'm not a speed-merchant like you.

DR. T. (*laughing*). Well, I must certainly admit that I like to step on the gas. Good Heavens ! Your bumpers are a bit buckled, aren't they ? And where's your rear light and your number-plate ?

N. (*a trifle embarrassed*). Oh, yes . . . that happened last night. I'm not very keen on night-driving—can't see very well and always get dazzled by the headlights of on-coming cars. Well, last night I was so dazzled that I had to bring the car to a standstill until the other fellow had gone by. Then I stepped on the starter, but by mistake had put her into reverse and in my nervousness I accelerated instead of slowing down. And before I knew where I was I'd run into a stone wall.

DR. T. (*laughing heartily*). Well, it's a jolly good job you have to pass a test nowadays before you can get a driver's licence.

Exercise

DR. TELLERBACH. Ich habe für heute morgen nichts vor. Ich will Ihnen etwas Hilfe leisten, wenn Sie wollen, und wir werden das Auto gründlich untersuchen. Ihre Zünd-kerzen sind wohl verrusst und der Vergaser verstopft, und wenn ich Sie wäre, würde ich einen neuen Reifen kaufen. Ich sehe, dass Ihr Notreifen (Ersatzreifen) platt ist, und mit diesem linken Vorderreifen so abgefahren (abgenutzt), wie er ist, werden Sie jedesmal eine Panne haben, wenn Sir ausfahren.

NACHBAR (*mit einer überdrüssigen Gebärde*). Ein Auto ist mehr als eine kostspielige Liebhaberei — es hat einen unersättlichen Rachen ! Nun, ich muss wohl eine kolossale Rechnung von der Garage erwarten.

(*Zwei Stunden später*)

DR. T. Da haben Sie's ! Der Tachometer am Instru-mentenbrett zeigt schon eine anständige Geschwindigkeit und das Summen des Motors ist kaum vernehmbar ! Wir werden an der nächsten Tankstelle Benzin auffüllen lassen und dann bis zum ,, Weissen Rössel " in Siebenkirchen fahren, um dort ein paar Schoppen zu trinken, nicht wahr?

N. Mir ist es recht. Vorsicht, nicht so schnell, alter Freund, wir kommen bald zu einer sehr spitzen Kurve und wir wollen ja nicht in einen Strassengraben geraten.

DR. T. (*zerstreut, indem er auf den Beschleuniger tritt*). Wie? Ach, das ist nichts! Was für ein Angsthase Sie sind! Ich verstehe mich aufs Fahren.

Extract

From " Michael Kramer "

Close of the Final Act

LIESE BÄUSCH. Herr Kramer, I—I—I . . . I . . . I am so very unhappy. People—point—the finger of scorn at me.

(*Pause.*)

KRAMER (*half aloud*). What exactly is it that is so deadly? And yet whoever experiences it and lives keeps a thorn from it on his plate and pricks himself whenever he touches anything.—But go home in peace. Between him and us everything has been amicably settled.

(MICHALINE *and* LIESE BÄUSCH *go off.*)

KRAMER (*lost in thought at the sight of the corpse and at the lights*). The lights! the lights! How strange it all is! The lights I have burnt in my time! I've seen the flame of so many lights, Lachmann. But look, listen: That light is different!!—Am I making you at all nervous, Lachmann?

LACHMANN. No. What have I to be afraid about?

KRAMER (*rising*). But there are people who are afraid. Yet I am of the opinion, Lachmann, that nobody on earth should get frightened. Love, they say, is as strong as death. But let us calmly turn the sentence round: Death is as gentle as love, Lachmann. — — — Do you see, death has been maligned, that is the greatest deception in the world!! Death is the gentlest form of life: the masterpiece of eternal love. (*He opens the big studio window. Sound of vespers. Shivers with cold.*) A really great life is made up of feverish shudders, now hot, now cold! — — You did the same to the Son of God! You are doing it to

him as much to-day as then ! Just as he did not die then,
so he will not die to-day ! — — —. The bells are speaking,
do you not hear them ? They are telling it down into the
streets : the story of me and my son. And that none of
us is lost !—You can understand it quite clearly, word for
word. To-day it has happened, to-day is the day !—The
bell is more than the church, Lachmann ! The call to
table is more than the bread !—(*The Beethoven mask falls
over his eyes, he takes it off. Looking at it he goes on.*) Where
shall we land, whither are we driving ? Why do we sometimes shout for joy at the unknown ? We who are so little,
abandoned in the vastness of life ? As though we knew
where it is all leading. You, too, have shouted for joy !—
And what did you know ?—It is not on account of earthly
festivals !—Nor is it the heaven of the priests ! It is not
this, nor that, but what . . . (*with his hands raised to heaven*)
what will it all be in the end ?

(*Curtain.*)

From the Play " Poor Heinrich "

From the Second Act

(HEINRICH *turns and looks a long time at Hartmann,
with big eyes and a pained expression. As he is about to
speak his voice is husky ; he has to cough and begin anew.*)

Life is brittle stuff, my friend, the Koran says, and you
see, that is true.—And I have realized this !—I do not
like living in the shell of a blown-out egg.—And do you
wish to praise man to the skies ? To call him the image
of God ? Cut him with a tailor's scissors and he bleeds !
Pierce him with a cobbler's bodkin only a hair's-breadth
in depth in his artery here, or there, or there, or here, or
here—and what gushes irrepressibly out, just like the water
from a fountain-spout ? Your pride, your happiness, your
noble mind, your divine illusions, your love, your hate,
your riches, the pleasure and the reward of all your deeds,
in short, everything that you, the slave of foolish error,
have called your own. Whether you be Emperor, Sultan
or Pope, you are wrapped at last in a winding-sheet, a naked
body, and to-day or to-morrow you must grow cold in it.

LESSON XI

Conversation

A Wireless-set

(Mr. ANDREW HAMILTON *is sitting in an arm-chair reading a detective story.* JEAN HAMILTON *is lying on the divan turning over the pages of an illustrated magazine.* MR. PETER HAMILTON *comes in rather excitedly.*)

P. H.   Do you know what ?   I have a surprise for you !

A. H.   All right, fire away, we are all ears.

P. H.   I've bought a wireless-set !

J. H.   Heavens above !   What for ?

P. H.   To listen-in with.   Didn't you say last night that you missed the news from London ?

J. H.   Yes, I did, but I don't worry all that much about it.   What make is it ?

P. H.   Oh, the man did tell me—I've forgotten already. I got it at Denner's—you know the shop where they sell electrical goods of all kinds—electrically warmed cushions, electric cookers, refrigerators——

A. H.   Cut it short, old man, we know that !   What sort of set is it—a crystal-set, a portable or——

P. H.   Nothing of the sort !   It is a 5-valve set with indoor aerial and all the latest devices.

J. H.   Do you have to have a battery or those awful accumulators that have to be charged every now and then ?

P. H.   Good lord no !   It is an all-mains receiving-set. You plug in, tune in, turn the jolly old knobs and there you are !

J. H.   How much ?

P. H.   Oh, just a trifle.   500 marks.   I nearly jumped out of my skin when the man mentioned the price, but he promised to buy it back for 400 marks when we leave.

A. H.   I hope you haven't been done.

P. H.   Do I look daft ?   Of course, I'm not a wireless expert, but nobody can get money out of me for nothing. I insisted on his tuning-in to various long-distance stations, like Berlin, Rome, Moscow and London. I was delighted with its wonderful selectivity.

J. H. Has the set a short-wave band ?

P. H. Of course. In the evening you can even get China and America just as though it was from next door.

J. H. When is the set coming ? You haven't bought it on the H.P., I suppose ?

P. H. Don't be silly ! Ready cash, and the set is to be delivered at once.

A. H. Are we on alternating or direct current here ?

P. H. Haven't the faintest idea, but the salesman assured me— (*There is a knock at the door.*) Come in !

SERVANT (*enters*). There's a man downstairs, he says he's come to fit up a wireless-set.

P. H. Good ! Tell him, please, Magda, to come up right away.

(*The* MAN *enters, carrying a wireless-set with a few yards of flex.*)

MAN. Good evening, madam— Good evening, sir. Where would you like the set to go ?

(*After a short consultation they agree on this point and the set is installed in a trice and stands there, brand new and ready for use. The* MAN *turns the set on.*)

VOICE ON THE WIRELESS. You have just heard a Sonata by Mussorgsky. The soloist was Erich Böldes accompanied by the Berlin Radio Orchestra conducted by Hans Knappertsbusch. This is Frankfurt speaking, with the associated stations. We are giving the exact time. It is 21 hours and three seconds. With the stroke of the gong it will be exactly 21 hours and 1 minute—10 seconds—20 seconds—21 hours and half a minute—40 seconds—50 seconds—55 seconds—(*Gong strikes*)—at the stroke of the gong it was exactly 21 hours 1 minute. Here is the news, and this is Hans Günther Schellenberg reading it. First comes an important announcement from the Meteorological Service of the Air Ministry. . . .

Exercise

Was gibt es Neues ?

Propaganda und Wahrheit

(*a*) Das chinesische Aussenministerium hat die Vereinigten Staaten in einer über den Pekinger Rundfunk

G

verbreiteten Erklärung aufgefordert, ,, ihre bewaffnete Intervention in Südvietnam sofort einzustellen und ihr Militärpersonal sowie ihre Waffen unverzüglich abzutransportieren. "

(*b*) Chruschtschow soll einen neuen Berlin-Plan als Grundlage für eventuelle Verhandlungen erwägen, berichtet der Londoner " Observer " und bezieht sich dabei auf Verlautbarungen von Ostblockdiplomaten in Wien.

(*c*) Als Konsequenz der auf der Konferenz von Punta del Este gefassten Beschlüsse wurde Kuba nunmehr formell aus der Organisation der Amerikanischen Staaten ausgeschlossen.

(*d*) Die Sowjets setzen ihre Nadelstich-Taktik gegen Freiheit und Sicherheit in den Luftkorridoren nach West-Berlin fort. In Sowjetnoten an die Alliierten wurde das westliche Recht bestritten, über den Luftraum frei zu verfügen.

Obgleich es bisher zu keinen Störungen des Luftverkehrs gekommen ist, hält es Moskau offenbar nicht für unvereinbar, mit seinen Beschwichtigungsgesten an anderen Fronten des Kalten Kriegs gerade hier die westliche Widerstandskraft anzuprobieren.

(*e*) Unter einigen amerikanischen Gelehrten macht ein seltsames Argument die Runde. Sie sind für die Wiederaufnahme der Versuche mit Kernwaffen, weil sie hoffen, damit beweisen zu können, dass der Gedanke, Rakete zur Abwehr von Atom-Raketen zu konstruieren, praktisch undurchführbar ist.

Extract

From " Thus Spake Zarathustra "

From the Night-Song

It is night : now all the running springs are speaking louder. And my soul is also a running spring.

It is night : now begin to awake all the songs of lovers. And my soul is also the song of a lover.

There is within me an unsilenced, unsilenceable something ; it insists on becoming louder. A desire for love is within me, which itself speaks the language of love.

I am the light : alas, would I were the night ! But I must endure solitude, for I am girdled about with light.

Alas, would I were of the darkness and the night ! How I would fain suck at the breasts of light !

And I would bless you, too, ye little twinkling stars and glow-worms of heaven !—and be blessed in your gifts of light.

But I live in my own light, I drink back the flames that burst out from within me.

I know not the happiness of the Receiver ; and oft have I dreamed that stealing must be more blessed than receiving.

That is my poverty, that my hand gives without rest ; that is my envy, that I see expectant eyes and the illumined nights of longing.

Wretched is the lot of all givers ! O gloom of my sun ! O desire for desiring ! O fiery hunger in satiety !

They take from me : but do I touch against their souls ? A chasm stands between giving and taking : and the smallest chasm has to be crossed in the end.

A hunger grows out of my beauty : I would fain hurt those upon whom I shine, fain would I rob those to whom I have given :—thus do I hunger after wickedness.

To draw back my hand when the other's hand stretches out to meet it ; hesitating like the cascade that hesitates in its downward course :—thus do I hunger after wickedness.

Such revenge does my fulness plot : such malice does my soul conjure up in its solitude.

My bliss in giving died in the giving, my virtue grew weary of itself by its own abundance.

He who always gives runs the risk of losing all shame ; the hand and heart of him who is always distributing become calloused merely with distributing.

My eye no longer flows over at the shame of those who ask ; my hand has become too hardened for the trembling of hands that are full.

LESSON XII

Conversation

An Excursion to Stolzenfels Castle

(ANN *is a boarder staying as a member of the family with*
DR. TELLERBACH *in Ingolstadt.* IRMA TELLERBACH, *a
charming fair-haired girl of 19, and* ANN *are on a four-day
visit to Coblence, where they are staying with an aunt of
Irma's. They have arranged an outing to Stolzenfels Castle,
high up in the hills which tower above the bank of the Rhine.
Both girls are already firm friends and use the " du " form
of address to each other.*)

IRMA. Now we must find the way to the landing-stage
where the boats are moored that ply between Coblence
and Kapellen.

ANN. You've been there before, I suppose ?

IRMA. I ? No—first time I've ever been to Coblence.
I know that we are in William Square (or Circus)—that
reddish building over there is the Municipal Theatre.
Here comes a nice policeman, let's ask him the way. You
can ask him yourself—he'll be pleased to be of service to
such a beautiful young English lady.

ANN. In the first place I'm no beauty. In the second
place I am a Scot——

IRMA. Only half Scottish, I believe.

ANN. Thirdly, I was not aware that I murdered your
German language so frightfully. (*She stops as the policeman
comes up with them. She addresses him with an engaging
smile.*) Excuse me, constable, we want to go by boat to
Kapellen. Where is the landing-stage ? We have neither
of us been in your beautiful city before.

POLICEMAN (*with a smile*). Certainly, miss. Take the
first on the right and then turn left by the Government
Buildings over there until you come to the Rhine bank.
Is that clear ?

ANN. Yes, thank you. (*Looks in triumph at* IRMA.)

POLICEMAN. You're welcome, miss. Only too pleased
to be of service to a young English lady.

186

ANN (*looking very crestfallen, particularly as* IRMA *bursts out laughing*). How did you tell that I am English—or Scottish, rather?

POLICEMAN (*with a smile*). I can nearly always tell an Englishman by his clothes. You see, I spent seven years in London. (*He salutes and passes on.*)

ANN. You see, it was not on account of my pronunciation—it was only because he had the eyes of a lynx.

IRMA. My darling Ann, I don't think it was only your clothes that attracted his attention, and I must freely confess that your German is really marvellous. But this is where we go to the left.

Exercise

(*Auf der Landungsbrücke (an der Landungsstelle) steigen sie auf einen kleinen Dampfer. Bald gleiten sie auf der Oberfläche des Vater Rhein nach dem Dorf Kapellen hin. Während der Reise bezahlen sie ihr Fahrgeld.*)

ANN. Es ist schön kühl hier draussen nach der furchtbaren Hitze in der Stadt.

IRMA. Ja. Ich finde etwas ungemein Romantisches und Aufregendes im Gleiten auf dem Wasser. Es ist wunderbar auf dem Rhein, wenn der Mond voll ist und die ganze Landschaft mit seinem blassen und gespensterischen Licht badet (beleuchtet).

ANN. Wenn du so redest, werde ich beginnen, zu glauben, dass du eine lebendige Lorelei bist.

IRMA. Ich fürchte, dass ich eine ziemlich kräftige Wassernixe bin. Aber wir sind schon da. Kannst du das Schloss da drüben sehen?

ANN. Du lieber Gott! Sollen wir den ganzen Aufstieg zu Fuss machen?

IRMA. Da es so heiss ist, wollen wie uns zwei Pferde oder Esel mieten, und nachher können wir zu Fuss heruntersteigen, wenn wir nicht zu müde sind.

ANN. Das ist ein glücklicher Einfall. Ich habe ja keine Angst vor dem Aufstieg, aber diese Hitze ist doch ein bisschen zu arg. (*Nach einer Pause.*) Du, es ist wirklich komisch, wie dieser Schupo erriet, dass ich eine Engländerin bin.

IRMA. Er war ein netter Kerl, nicht wahr? Aber da

wir gerade bei Schupos sind, unser Dienstmädchen hat einen Schutzmann zum Schatz. Ich glaube nicht, dass der sehr luchsäugig sein kann.

Extract

Two Aspects of War

Hermann Sudermann : from " The Narrow Path "

Return of the Warriors in 1814

A single shout of jubilation went up to heaven from Gibraltar's Rock to the North Cape.—A man hung and tugged at every bell-rope, from every altar and every little apartment resounded a prayer of thanksgiving.— Those in mourning crept away, their moans swallowed up in the songs of praise, their tears sucked up by the Earth with the same indifference with which it had drunk in the blood of the fallen. . . .

The German oaks had just grown green again, ready soon to be scarred by the woodman's axe, when the warriors began to return.

In front came, in happy, unrestrained bands, the pride and bloom of the Fatherland, the sons of the well-to-do, who had gone on the holy crusade as volunteer yeomanry with their own horses and their own weapons.

Their journey through Germany was one long round of delicious feasting. Wherever they went they walked on roses ; the most beautiful maidens longed to be loved by them, and the richest wines to be drunk by them.

From " A Summer Battle," by Detlev von Liliencron

One of my recruits of the previous winter has ever since remained with me. I can see him still . . . where . . . everything is smoke, flame, froth and fury. . . . Then I hear through all the din his shrill voice : " Lieutenant, Lieutenant ! " . . . " Where . . . are you . . . Mehrkens, Mehrkens, where are you ? . . ." Someone clutches at my left hand, tight, as in a vice. I bend down towards him. It is my little recruit holding on to me. A shot from the side has taken away both his eyes. But soon his hands relax. His fingers let go, become stiff, remain bent . . . and he sinks down into the sea of blood.

The cemetery is ours ! Hurrah ! hurrah !

I meet the captain on the rampart. Almost the entire left half of his tunic is missing. His shirt is ripped open in front. His broad chest heaves with each heavy, long drawn-out breath. I rush up to him. Leaning with his right hand on his sword, he takes my hands in his left. And so we stand for a minute, high up on the wall, in silence. And smoke rises up before us, and round us, everywhere. Sparks from the burning church dance about us like golden midges. My left foot rests on the nape of a yeoman, shot as he clambered over the wall, and left hanging there. And so we stand there . . . for a minute . . . in silence . . . and victory and sunshine glow in our faces.

LESSON XIII

Conversation

In the White Hall of the New Castle

(ANN, *who does not play any instrument and only sings infrequently and not particularly well, has heard the others speaking about colour, sixths, themes, movements, preludes, intermezzos, sonatas, symphonies, suites and so on, and when she hears people saying : " Doesn't that bit remind you of Schubert's Seventh Symphony in C (the ' heavenly-long '),'' or : " Surely this (piece) is Sibelius's 'Valse Triste'?'' or : " What could be lovelier than the* pianissimo *of the 'cellos in the melody of the ' Unfinished'?'' she is troubled vaguely by an inferiority complex. The concert included works by G. F. Händel, Georg Matthias Monn, G. Ph. Telemann and Johann Sebastian Bach, played by the soloists and chamber musicians of the State Theatre Orchestra under the direction of Walter Rehberg. At the end of the concert she is determined not to appear too inane and unappreciative, especially as she has really enjoyed the concert. She is conscious of the magnitude of her task, inasmuch as the others are all experienced music-lovers. The following conversation takes place as they sit drinking wine or coffee at Maxim's in the Hauptstätterstrasse.*)

DR. TELLERBACH. Well, Ann, I hope you thoroughly enjoyed the concert ?

ANN. Yes, thank you, enormously.

IRMA. I thought you told me you didn't like music ?

ANN (*somewhat defiantly*). Did I ?

IRMA. Well, I rather thought you told me you knew nothing about music ?

ANN. So I did, but that surely does not mean that I don't like good music. I merely lack the devotee's peculiar jargon.

DR. TELLERBACH (*laughing*). Every profession and every department of knowledge has its special jargon—that is in the nature of things. But I think you are being a little sarcastic, are you not ?

ANN. I mean this : you hear a piece of music and are able to say more about it, because you know the ropes—you know the proper words, the technical terms, as it were—you can, no doubt, give a certain piece its proper name, can distinguish between the various forms or kinds, as, for instance, arpeggios, or—or—trills, staccatos, legatos, portatos—you know all about such things as intervals, mediants, dominants, measures, keys—and the whole bag of tricks ! I don't. I cannot even play " God Save the King " on the piano, and terms like E-flat major mean absolutely nothing to me. But I maintain that I, who am no connoisseur, can appreciate a piece of good music just as much as you.

DR. T. (*with a smile*). I'm afraid you have too high an opinion of my knowledge in these matters. Every time I hear you speak our language, Ann, I can scarcely believe you are not a German. There you are ! At the beginning you could not read Goethe's " Torquato Tasso " with enjoyment, because there were various things in it you couldn't quite understand, if at all. But now if you read the same work again you could appreciate the spiritual niceties which escaped you then. So it is with music.

(*To be continued.*)

Extract

From " The Journey over the Harz Mountains "

On the Brocken Mountain

The golden rays of the sun looked very pretty as they glinted through the thick green of the pine-trees. Nature's own steps were provided by the roots of the trees. Everywhere there were springy banks of moss, for the rocks are overgrown a foot high with the most beautiful kinds of moss, looking like cushions of delicate green satin. A lovely coolness and a dreamy murmuring of springs. Here and there can be seen water dripping silver clear under the rocks, washing the bare tree-roots and fibres. When you bend down to watch all this going on you can hear immediately the secret life-story of the plants and the calm heart-beats of the mountain. In many places the water gushes more strongly out of the rocks, forming little cascades. It is very agreeable to sit there. There is such a marvellous murmuring and rustling, the birds sing snatches of passionate song, the trees whisper as though it were a thousand maidens' tongues, and quaint alpine flowers look at us as though with a thousand maidens' eyes; they stretch out towards us the wonderfully broad and queerly serrated leaves, the merry sunbeams quiver playfully hither and thither, the intelligent weeds tell each other woodland tales, everything is enchanted, becomes more and more intimate, an old, old dream comes to life, my sweetheart appears—alas, that she so quickly disappears again !

From " The Memoirs of Mr. Schnabelewopski "

In Hamburg

Minka smiled less often, for she did not have beautiful teeth. So much more beautiful, however, were her tears, when she wept, and she weeps at everybody else's misfortunes, and she was charitable to an inconceivable degree. She would give her last shilling to the poor. Such was her goodness of heart. This tender, yielding character stood in very attractive contrast to her outward appearance. A bold Juno-like figure ; a white, impudent neck, hung about with unruly black curls, like voluptuous snakes ; eyes which shone so imperiously from under their dark triumphal arches ; highly bow-shaped lips of proud crimson ; marble-like, commanding hands, which were, unfortunately, somewhat freckled ; and she had, too, a dagger-shaped birth-mark on her left hip.

The Lorelei

I know not what it can mean that I am so sad. A tale of olden times that I cannot get out of my head. The air is cool and it is growing dark, and peacefully flows the Rhine. The mountain summit is all afire in the evening sunshine.

The most wondrously beautiful maiden sits up there ; her golden jewels glitter as she combs her golden hair. She combs it with a golden comb and sings a song with a strange and powerful melody.

It grips the sailor in his tiny ship with frenzied woe.
He sees not the dangerous rocks, his eyes are fixed on the
mountain-top. I fear me the waves swallow in the end
both the sailor and his boat. And that is what the Lorelei
has caused with her song.

LESSON XIV

Conversation

A Conversation on Music

(Continuation and Conclusion)

(After the concert in the White Hall of the New Castle ANN *is sitting with* DR. *and* MRS. TELLERBACH *and their daughter* IRMA. *They drink coffee or wine.)*

ANN. But what annoys me is that so-called music-lovers say : You see, this piece depicts a storm—first comes an ominous lull, then the wind rises gradually or suddenly, you are deafened by the thunder, dazzled by the flashes of lightning, and so on, until the thunderclouds have rolled by and the sky is again beautifully blue and clear. But in my view that piece of music could represent just as well a battle, or a revolution, or a struggle in the innermost heart of a man, or even the mental upheavings of a lunatic. Or it could mean nothing at all—just empty sounds.

DR. T. There you have the difference between " programme " music and " absolute " or " pure " music.

ANN. Programme music ?

DR. T. Yes, that is, narrative or pictorial music, as for instance, Smetana's " Moldau " or the " Danse Macabre " of Saint-Saëns. Such music depicts a scene or a landscape, or it tells a story like the " Don Juan " of Richard Strauss. Indeed, you may call such musical compositions tone-poems, if you like.

ANN. What, then, is " absolute " music ?

DR. T. Absolute music tells no story, paints no picture —it is independent, is the Be-all and End-all, has no meaning outside itself.

ANN. I'm afraid that is rather difficult to grasp. It is a pretty stiff adventure to listen for three-quarters of an hour to a symphony to have to admit at the end of it that there is nothing in it *(with a shrug of her shoulders)*.

IRMA. Yes, there is—there's the soul of the composer

in it, his moods, his hopes, his anxious forebodings, his love, his despair.

ANN. Well, then, if that's true, the music *has* got a background, a name and a habitation, so to speak, has got some meaning for us—it tells us the story of a man's emotions. Musical criticism seems to be nothing more than clichés and otiose and pedantic ponderosity. A symphony has four movements, hasn't it ?

DR. T. Yes, as a rule.

ANN. Don't those movements mean anything ? or are they an arbitrary and traditional convention ? The symphony has two themes, on which the musical composition is based. These themes have surely a particular meaning, a philosophy ? Wagner, for instance, who could not write a symphony, was imbued with the philosophy of Schopenhauer and Nietzsche and he tried to translate this philosophy into opera music.

DR. T. You must not forget that an opera is not only music. But it seems to me, Ann, that you know more about music than you are willing to admit.

Exercise

FRAU TELLERBACH. Ich glaube ja, dass Ann viel mehr über Musik weiss, als sie hat zugeben wollen.

DR. TELLERBACH. Ich auch (mir kommt es auch so vor).

ANN. Nun, ist es nicht etwa deswegen, dass die Nazis so sehr für Wagner schwärmten (so scharf auf Wagner waren) ? Weil er Nietzsches „ blonde Bestie " darstellt, das Heldentum und die männliche Kraft des Heidentums im Gegensatz zur Demut und Schwäche der echten Christen ? Es ist das Herrenmenschentum im Vergleich zum Sklavenmenschentum, etwa wie Nietzsche es beschrieben hat. Aber es gibt eines, was ich sehr gerne wissen möchte — ich bin so furchtbar unwissend, wenn es sich um Musik handelt.

DR. T. Und das ist — ?

ANN. Was ist eigentlich Kammermusik ?

DR. T. Das ist einfach genug. Kammermusik war ursprünglich, wie der italienische Name *musica da camera* zeigt, zur Aufführung in fürstlichen Häusern für die Ergötzung einer kleinen Oberschicht bestimmt, im Gegensatz zu Musik, die man dem grösseren Publikum in der Kirche,

oder später auf der Bühne, bot. In Deutschland war diese
Kammermusik zweierlei : Hofmusik für bedeutendere
Hofveranstaltungen und Kammermusik für den Hof selbst.

ANN. Das heisst wohl, dass die Anzahl der Musiker
ziemlich klein war (dass die Musiker ziemlich gering an
Zahl waren) ? Streichquartette und -Quintette und so
fort ?

DR. T. Das ist richtig. Und die meiste Kammermusik
ist sonatenartig. (*Sieht auf seine Uhr.*) Das ist höchst
interessant, und ich möchte darüber weiter sprechen, aber
es ist schon nach Mitternacht (aber Mitternacht ist schon
vorüber), und ich glaube, wir sollten uns auf den Weg nach
Hause begeben.

(ANN, *die wohl wissen möchte, ob sie mit ihrer Bemerkung
über die Nazis ins Fettnäpfchen getreten sei* (*getreten ist*),
stimmt dieser Meinung herzlich bei.)

Extract

From " From the Life of a Good-for-nothing "

(a) Chapter One

The wheel of my father's mill was again roaring and
rushing right merrily, the snow was dripping assiduously
from the roof, the sparrows were twittering and skipping
about between the drops. I sat on the door-step—rubbing
the sleep out of my eyes ; I felt so comfortable in the
warm sunshine. My father came out of the house ; he
had been knocking about in the mill ever since the dawn,
and with his night-cap all awry on his head he said to me :
" You good-for-nothing ! There you are, sunning yourself
again, and tiring out your bones with all that stretching and
pulling, leaving me to do all the work by myself. I'm not
going to feed you any longer. The springtime is at the
door : go out into the world and earn your own living."
—" Well," I said, " I don't care if I am a good-for-nothing,
and I will go out into the world and make my fortune."
And, indeed, that was just what I wanted, for it had
occurred to me a little while ago to go travelling when I
heard the yellowhammer, which had been singing in
melancholy fashion all the autumn and winter at our

window : " Farmer, fee me, Farmer, fee me ! ", and now, in this beautiful springtide, was again calling proudly and merrily : " Farmer, your work I do not need ! "—And so I went into the house and fetched my violin, which I played with some skill, from the wall ; my father gave me a few more pence with which to go on my way and thus did I saunter out through the straggling village. I must say I found a secret pleasure as I saw there all my old acquaintances and friends to the right and left, just as yesterday, the day before yesterday and at all times, going out to work, digging or ploughing, whereas I was just strolling out into the wide world. I called out in all directions, to the poor fellows, proudly and contentedly bidding them farewell, but not one of them paid any heed. To me it all seemed like one interminable Sunday. And as I finally came out into the open country I took my beloved violin and played and sang. . . .

(b) Chapter Five

The old woman meanwhile kept on grinding away with her toothless gums so that it looked just as though she were chewing away at the tip of her nose, which was long and came down to meet her chin. She then made me sit down, passed her withered fingers caressingly over my chin, called me *poverino !* * and looked at me so roguishly out of her red-rimmed eyes that one corner of her mouth was pulled half-way up her cheek, and then finally she went with a low curtsey out of the door.

I, however, sat down at the table, already laid, while a young and pretty maid entered to wait on me as I ate. I ventured on all sorts of gallant observations for her benefit, but she did not understand a word, merely giving me curious side-glances because I ate with such enjoyment, the food being very delicious. When I had eaten enough and got up, the maid took a light and conducted me into another room, in which there were a sofa, a small mirror and a magnificent bed with green-silk curtains. I asked her by signs if I were to sleep there ? She nodded in the affirmative, certainly, but that was not as yet possible, because she remained standing near me as though rooted

* Poor boy !

to the spot. In the end I fetched myself a large glass of wine from the dining-room and exclaimed : " *Felicissima notte !* " *, for I had already learnt that much Italian. But when I tossed the wine off, she suddenly bursts into a suppressed giggle, turns red all over, goes into the dining-room and closes the door after her. " What is there to laugh at in that ? " I thought in complete bewilderment. I think people in Italy must all be mad.

* A very good night !

LESSON XV

Conversation

Bridge

ANN. Do you play the card-game of kings ?

DR. T. I suppose you mean bridge ? Yes, certainly, but I prefer contract to auction bridge.

ANN. I only began yesterday, unfortunately, and I thought at first I could play quite nicely after a few games, but I soon noticed that I hadn't really got any idea of the finer points of the game.

DR. T. I hope that doesn't discourage you, but serves rather as an incentive. No other game unites at one and the same time a sharpness of wit, a shrewd insight into the character of adversary and partner, and a systematic, vigorous and yet sober-minded procedure.

ANN. That sounds rather pedantic. But could you indicate to me some of the generally accepted principles of the game or a brief outline of a few of the most important points ?

DR. T. Yes, certainly. I'll go and get a pack of cards. (*Goes off and returns shortly with the pack.*) Here you are, I shuffle the cards like this. Please cut the cards, so . . . thank you. . . . Never play with strangers when travelling, and always hold your cards so that an opponent, who plays with circumspection in more senses than one, cannot see what you hold. . . . There you are, now the cards are dealt. Now, listen carefully :—

Firstly : The player can only take as many tricks under the line as he bids. For a game, therefore, supposing nothing has already been won, you must have at least a bid of three no-trumps, four spades or hearts, and five diamonds or clubs. Over-tricks only count above the line, the first counting a hundred, and each additional over-trick counting fifty. The exact fulfilment of the bid, the so-called contract, brings fifty points.

ANN. Are the rules for contract uniform and valid everywhere ?

DR. T. No, unfortunately. For instance, in the rules

of the Berlin Union Club over-tricks and under-tricks are counted double in the second game, and if they're doubled you multiply by four, and even in the first game under-tricks are doubled after the third under-trick.

ANN. I suppose the idea is to check the tendency on the part of some players to bid wildly in order to hold up the game at all costs ?

DR. T. And quite rightly. Otherwise you'd never finish. Now, therefore :—

In the second place : in contracting you can simply bid over another player with a greater number of tricks, as, for instance, by going four clubs over three no-trumps.

ANN. Contracting ? What does that mean ?

DR. T. Contracting or bidding, it's the same thing.

In the third place : The first game won carries with it 300 points, and the rubber brings in 750. Four honours in one hand counts 100, five honours or four aces in one hand 200 points, a little slam 100, and a grand slam 200.

ANN. Above the line ?

DR. T. Of course.

ANN. What happens in a revoke ?

DR. T. Ah, that is a very sore point ! A revoke is considered as proved as soon as the trick is taken up and placed face down and the partner doesn't question your play by asking, for example : " No more hearts ? "

ANN. Can dummy take part in the game ?

DR. T. That is the only observation that dummy is allowed to make. Moreover, a revoke seen only by dummy doesn't count. If the player makes the revoke he cannot put anything down under the line, but he can, of course, if the opponents revoke. For a revoke made by an opponent you can either take three tricks, or write above the line 150 points in the first game and 300 in the second. If the game was doubled, this doubles the 150 and 300 points respectively, in addition to the tricks declared, so that in this way the game can be won as well. Have you got that ?

ANN. H'm—er—more or less.

DR. T. (with a laugh). I can easily understand that. It is certainly a bit complicated, and I'll get my typist to put it all down nice and neatly for you.

ANN. Thank you very much.

Exercise

(a) *Der Stümper-Klub gibt sich die Ehre*

Fräulein Ann Hamilton

zu seinem Geselligen Abend
Samstag, den 6. April um 8.30
herzlich einzuladen.

Es wird wie gewöhnlich in den Festsälen des
Riesenfürstenhofs getanzt.

Abendkleid.   U.A.w.g.

(b) Eines Tages stand ein hungriger Spitz zaudernd und sehnsüchtig vor einer Metzgerei. Auf einmal schnappte er nach einer grossen Wurst und mit dieser in der Schnauze (im Maul, im Mund) riss er aus (lief er davon, nahm er Reissaus).

Der dicke Metzger sah zufällig diesen Raub. Zornig lief er dem Hunde nach, so schnell seine kurzen dicken Beine ihn tragen konnten, das Beil in der Hand und das Wetzmesser an dem Gürtel. In der Mitte des Fahrdamms stiess er mit einem Radfahrer zusammen. Beide fielen schwer auf das Pflaster.

Puterrot im Gesicht, dreckgeschwärzt und schwitzend stand der Metzger wieder auf. Sein linkes Bein tat ihm weh. Er hinkte ein wenig herum, indem er Fluchworte ausstiess. Der Radfahrer zeigte ihm sein verbogenes Rad und verlangte Schadenersatz.

Unterdessen war der Spitz um die Ecke verschwunden und verzehrte mit Seelenruhe (verzehrte ganz ruhig) seinen Raub.

Extract

From the Short Story " Michael Kohlhaas "

Conclusion

The Elector exclaimed : " Well, Kohlhaas the horse-dealer, now that you have received satisfaction in this matter, prepare to give satisfaction to His Imperial Majesty, whose attorney is here, for the breach of the peace made by you ! " Kohlhaas, taking off his hat and throwing himself down on his knees, made answer that he was ready. He entrusted his children, whom he once again lifted up and pressed to his bosom, to the bailiff of Kohlhaasenbruck and, whilst the latter led them weeping silently away, walked to the block. He was just undoing the kerchief about his neck and opening his doublet when, with a rapid glance at the circle formed by the crowd, he perceived, standing half hidden behind two knights a short distance away, the familiar figure of the man with the blue and white plumes. Kohlhaas, removing the small case from his breast as he went, to the annoyance of the guard surrounding him, right up to the man, took the note out, unsealed it and perused it : and without taking his eyes from the man with blue and white plumes, who was already beginning to entertain high hopes, put it into his mouth and swallowed it. On seeing this the man with the blue and white plumes sank to the ground in a convulsive fit. But Kohlhaas, while the other's amazed companions were bending over him and raising him from the ground, turned towards the scaffold, where his head fell under the executioner's axe. And with that the story of Kohlhaas came to an end.

From the Short Story " The Marchioness of O . . ."

Beginning

In M . . ., an important city in upper Italy, the widowed Marchioness of O . . ., a lady of excellent reputation and the mother of several well-nurtured children, announced in the press that she, in complete ignorance of the circumstances, had become *enceinte*, and begged the father of the child she was about to bear to come forward, as she, for family reasons, was resolved upon marrying him. The lady who took so boldly such an extraordinary step, that could not but excite general ridicule, was the daughter of Herr von G . . ., commandant of the citadel of M . . . About three years before she had lost her husband, the Marquess of O . . ., to whom she had been most intimately and tenderly attached, during a journey to Paris which he had made on family business. At the desire of Frau von G . . ., her worthy mother, she had, after his demise, left her country seat at V . . . where she had lived hitherto, and had returned with her two children to her father at the commandant's residence. Here she had occupied the following years in art and reading, in the education of her children, and the care of her parents, living in the greatest retirement, until the —— War suddenly filled the whole district with the troops of all the Powers, including the Russians. Colonel von G . . ., on receipt of orders to defend the place, requested his wife and his daughter to withdraw either to the daughter's country estate or to that of his son, which was situated near V . . . But before the hazards of a siege or the horrors of war in the open country could be duly weighed in the balance of the feminine mind and a conclusion reached, the citadel was overrun by Russian troops and called upon to surrender. The Colonel explained to his family that he would now act as though they were not there : and replied to the enemy with shot and shell. The enemy, for his part, subjected the citadel to a heavy bombardment. He set fire to the magazine, captured the outer defences and, when the Colonel delayed his reply to a second summons to surrender, he ordered an attack under cover of darkness and took the fortress by storm.

LESSON XVI

Conversation

Luncheon on the Rhine Steamer

(MR. ANDREW, *his wife* JEAN, *his son* MALCOLM *and his brother* MR. PETER *are on board the Rhine steamer " Rheingold." They are going from Cologne to Mainz. They bought their tickets at the office of the Rheinish Steamship Company in Cologne and there went on board shortly before ten in the morning.*)

A. H. (*leaning on the taffrail of the boat*). What sort of grub do you get on these steamers ?

J. H. No idea. In the Grand Prince's Hotel they told me it was quite good.

P. H. Well, it'll have to be pretty horrible if I can't eat it, for I'm as hungry as a hunter. In any case I read somewhere that all complaints should be addressed to the ship's inspector or handed in at the " Red Box."

MALCOLM. What is the Red Box, Uncle Peter ?

P. H. Dunno. Let's go down now, shall we ?

A. H. I'm willing. What about you, Jean ?

J. H. Yes, I'm hungry, too. Come along, Malcolm, we're going to have lunch now. (*To her husband*) It's really nice, the way he has made friends with that little Dutch girl—they get on admirably with each other, although he doesn't understand a single word of what she says.

P. H. You mean *because* he doesn't understand anything of what she says.

J. H. That remark is characteristic of a confirmed bachelor.

(*They sit down at a table near the wind-screen, from where they get an uninterrupted view of the river.*)

WAITER (*placing menu before them*). Good morning ! (*He places the knives, forks and spoons in proper order before* MRS. H.)

P. H. An apéritif, Jean ? (MRS. H. *declines with a smile.* P. H. *turns to the waiter.*) Waiter, bring us a couple of glasses of vermouth. (*Handing* MRS. H. *the menu.*) It is best for you to choose the dishes—for me it's always an *embarras de richesses*. I always let the waiter choose, with the warning : the greater my enjoyment, the bigger the tip.

J. H.   I take it you don't want the set lunch.

A. H.   Set lunch ?   What's that ?

J. H.   For 2 marks 75 we can have soup, fish or entremêts, meat, potatoes and vegetables, followed by dessert.

A. H.   Ah, table d'hôte !   No, let's do the thing properly. What can we have by way of hors d'œuvres ?

J. H.   Sardines in oil, three each with butter and bread, herring salad, salmon mayonnaise, Swedish smörgåsbord with butter and bread, pâté de foie gras.

P. H.   Haven't they any caviare ?

J. H.   Yes, but at 8 marks a portion, that's a bit too dear. I'm all for the smörgåsbord, at 2 marks 75 a portion.

P. H.   Agreed !   And afterwards ?

J. H. (*reading aloud*).   Ordinary soup for the day, strong broth in cups with rolls, mock-turtle soup or real turtle soup.

A. H.   Personally I am ready to risk to-day's soup.

P. H.   So am I.

J. H. (*reading on*).   Fish ?

(*To be continued.*)

Exercise

Aufgabe

Matt in zwei Zügen

Lösung

1. d6 : é7 ! Drohung :   2. é7—é8D‡

1. —, Da6 : b5	2. Ld4—c5‡!
1. —, Da6—é6	2. Dg8—d8‡
1. —, Da6—f6 + (—g6)	2. Ld4 : (—) f6‡!
1. —, Kd7 : é7	2. Lé4—c6‡!
1. —, Th7 : é7	2. Ld4—b6‡!
1. —, Sb8—c6	2. Lé4—f5‡!

(a) Ein hochwertiges Problem mit Substanz. Die mit ! hervorgehobenen Abspiele sind äusserst gehaltreich. Diese Aufgabe zeugt von Ideenreichtum und hochstehendem Können des Verfassers.

Extract

From the Tragedy " Faust, Part One,"

by Johann Wolfgang Goethe

Night

(In high-vaulted, narrow, Gothic room, FAUST *restlessly moves on his arm-chair at his desk.)*

FAUST.   All that philosophy can teach
  The craft of lawyer and of leech,
  I've mastered, ah ! and sweated through
  Theology's dreary deserts, too ;
  Yet here, poor fool ! for all my lore
  I stand no wiser than before.
  They call me magister, save the mark !
  Doctor, withal !   And these ten years I
  Have been leading my pupils a dance in the dark,
  Up hill and down dale, through wet and through dry—
  And yet that nothing can ever be
  By mortals known, too well I see !
  This is burning the heart out of me.
  More brains have I than all the tribe
  Of doctor, magister, parson and scribe.
  From doubts and scruples my soul is free,
  Nor hell nor devil has terrors for me :

But just for this I am dispossessed
Of all that gives pleasure to life and zest.
I can't even juggle myself to own
There is any one thing to be truly known,
Or aught to be taught in science or arts,
To better mankind and to turn their hearts.
Besides, I have neither land nor pence,
Nor worldly honour nor influence.
A dog in my case would scorn to live !
So myself to magic I've vowed to give,
And see if through spirit's might and tongue
The heart from some mysteries cannot be wrung
If I cannot escape from the bitter woe
Of babbling of things that I do not know,
And yet to the root of those secret powers
Which hold together this world of ours,
The sources and centres of force explore,
And chaffer and dabble in words no more.

*(Translation by Sir T. Martin, published by the
National Library Company, New York.)*

From the Play " Torquato Tasso "

Act V. Scene 5

TASSO

And thou, too, Siren ! who so tenderly
Didst lead me on with thy celestial mien,
Thee now I know !   Wherefore, O God, so late !

But we so willingly deceive ourselves,
We honour reprobates, who honour us.
True men are never to each other known :
Such knowledge is reserved for galley-slaves,
Chained to a narrow plank, who gasp for breath,
Where none hath aught to ask nor aught to lose,
Where each for a rascal avows himself,
And holds his neighbour for a rascal too,—
Such men as these, perchance, may know each other.
But for the rest we courteously misjudge them,
Hoping they may misjudge us in return.

How long thine hallowed image from my gaze
Veiled the coquette, working with paltry arts.
The mask has fallen !—Now I see Armida
Denuded of her charms—yes, thou art she
Of whom my bodeful verse prophetic sang !

And then the little, cunning go-between !
With what profound contempt I view thee now !
I hear the rustling of her stealthy step,
As round me still she spreads her awful toils.
Ay, now I know you !   And let that suffice !
And misery, though it beggar me of all,
I honour still,—for it hath taught me truth.

*(Translated by Anna Swanwick, National
Library Company, New York.)*

LESSON XVII

Conversation

Luncheon on the Rhine Steamer

(*Continuation*)

P. H.   Why not ?

J. H. (*reading aloud*).   Salmon (also cold with mayonnaise and potato salad), turbot, halibut, sole, zander——

A. H.   What sort of fish is a zander ?

P. H.   Just a moment. (*Takes out a dictionary and looks the word up. Reads*) Zahn—Zempel—I bet you don't know what " Zempel " stands for ?

A. H.   Don't want to know, either. " Zander," please !

P. H. (*in theatrical tones*).   " Patience, my child, though your heart is breaking ! "   " Zander," masculine gender, pike-perch.

A. H.   What ever is a pike-perch ?

P. H.   Perfectly simple. It's like a pike, but isn't a pike, and——

J. H.   All right, we know.

(WAITER arrives with the vermouth.)

J. H. (*reading on*).   Then there is Rhine eel.

A. H.   I'm going to try the pike-perch to see whether it tastes more like pike, or more like perch.

J. H.   For Malcolm and myself I am ordering halibut. With the fish they serve boiled potatoes and best fresh or melted butter.

(*After they've chosen their dishes the* WAITER *arrives and makes a note of them on his note-pad. The* WINE-WAITER *returns, bows and hands* MR. ANDREW *the wine-list.*)

A. H.   Ah, thank you—this is more my province. What about you, Jean ?

J. H.   For Malcolm and myself a bottle of mineral water.

A. H.   Well, bring us a bottle of Rhenser lemonade. And for us, Peter—let me see—what do you say to a bottle of 1931 Piesporter Goldtröpfchen ? (PETER *nods approval.*)

(*Later. Each has just consumed a peach melba and is now drinking coffee. A. H. beckons to the* WAITER.)

A. H.   Waiter ! Bring me a packet of cigarettes, please

—Gelbe Sorte—and a box of matches. My lighter has run out.

WAITER. Shall I have it filled for you, sir ?

A. H. Can you ? It would be fine if you could.

(WAITER *brings cigarettes and lighter*.)

A. H. Thanks very much. We'll pay now, if you don't mind.

WAITER (*taking up his note-pad*). Certainly, sir. Two vermouths, 1 mark. Swedish hors d'œuvres, 10 marks. Halibut twice, 5 marks 50. One Rhine eel, 2 marks 50. One pike-perch, 2 marks 75. Chateaubriand, with sauce béarnaise, pommes de terre frites and salad four times, 14 marks. Peach melba four times, 5 marks. Three Mocca coffees, 1 mark 50. One bottle of Goldtröpfchen, 10 marks. That comes to 52 marks 25. Ten per cent. for service comes to 5 marks 25—that is all together 57 marks 50. The cigarettes you have already paid for.

A. H. (*handing him three 20-mark notes*). Yes, that is correct.

(*The* WAITER *gives* A. H. *the change.* A. H. *lays a 2-mark piece on the table.*)

WAITER (*with a bow*). Thank you, sir ! Good day !

Exercise

In der Kneipe (ii)

Bahlke weiss genau, dass er Hasenwinkel einen recht beizenden Tabak angeboten (hat), aber es muss sein, diese Wunde muss geschnitten werden. Er wäre kein guter Kamerad, wenn er seinen Freund nicht warnen würde. Er wagt es nicht, dem Kollegen ins Gesicht zu sehen, und es ist gut so, denn Hasenwinkel hat sich verfärbt. Er braucht eine ganze Weile, bis er sich wieder in der Gewalt hat. Bahlke schwatzt:

„ Ah, da kommt mein Essen. Komisch, meine Frau ist eine ganz gute Köchin, aber Pfannkuchen backen, so wie ich sie gern esse, kann sie nicht. Entweder kann man Schuhe damit besohlen, oder sie sind labbrig. So, jetzt kommt Zucker. . . . Schmeckt wirklich ausgezeichnet."

Hasenwinkel kann jetzt reden, ohne dass seine Stimme zittert :

„ Woher kennst du denn die Magda ? "

„ Mensch, die kennt doch jeder (jedermann). Ist ein
nettes Früchtchen, du musst einmal nach ihren Vorstrafen
fragen. Sie hat im Bahnhofsrestaurant ihre Kollegen
bestohlen, wurde auf Warenhausdiebstahl ertappt, und
wird häufig in allen zweifelhaften Lokalen angetroffen.
Samstag abend sah ich sie noch im „ Grauen Kater."

Extract

Four Poems by Goethe

(i)

O heart, my heart, what's o'er thee stealing ?
Why art thou so full of woe ?
How strange and new my life is feeling !
Where is the world I used to know ?
Gone is all that used to please me,
Gone the things that used to tease me,
Thou canst not work, thou canst not rest—
Why art thou so sore oppressed ?

Art locked by her youthful figure,
By her loveliness and grace ?
By her look of truth and rigour,
In irresistible embrace ?
When I seek to treat her coldly,
Take new courage, shun her boldly,
Every way that I do wend
Back forthwith to her doth bend.

And with this magic thread so slender,
That no force of mine can part,
By this wanton maid so tender
I am held with aching heart.
Must within her ring of magic
Do her will—alas, how tragic
Is the spell that Love doth throw !
Love ! O Love ! O let me go !

(ii) *Solace*

Cowardly thinking,
Womanish shrinking,
Nervous restraining,
Anxious complaining
Conquers no worries
Gives thee no rest.

'Gainst the dark Powers,
Shun him who cowers:
Firm and resistant,
Strong and insistent,
Fight with the courage
Of Gods in your breast.

(iii) *The Harper*

Who never bread with tears did eat,
Nor who at night the troubled hours
Upon his bed in grief did sit,
He knows you not, ye heavenly Powers !

You lead us on in the midst of life,
And when the wretch on guilty course
      has hastened,
You leave him prey to grief and strife :
For thus must all who err be chastened.

(iv) *Mignon*

Knowst thou the land where lemon-trees grow,
Midst dark-green leaves gold oranges glow,
And gentle winds from azure heavens fan
The quiet myrtle, where the stately laurels stand ?
Knowst thou it well ?
                    'Tis there !   With thee
Away, O my beloved, I fain would flee !

Knowst thou the house ?   Its roof rests on styles,
The sun in hall and tiny chamber smiles,
And marble statues stand and gaze on me :
What have they done, unhappy child, to thee ?

Knowst thou it well ?

                   'Tis there !   With thee
Away, O my protector, I fain would flee !

Knowst thou the mountain-top where through the clouds
The mule his path doth seek, that the mist enshrouds ?
In caverns dwells the dragon's ancient brood,
The rock drops sheer and headlong falls the flood.
Knowst thou it well ?

                   'Tis there !   With thee
My path doth lie ! O Father, come with me !

LESSON XVIII

Conversation

At the Swimming-pool

(MR. ANDREW HAMILTON *and his wife are taking a sun-bathe at the edge of the swimming-pool. In the water* ANN *and* MALCOLM *are having a race. As* ANN *can outstrip her brother she has given him a start of five yards and still comes in first.*

Other bathers are lying or sitting on the sand, playing with a ball or swimming and splashing about in the water. They wear bathing-costumes or bathing-drawers of kinds, in all possible shades : green, yellow, light-blue, dark-blue, mauve, red, cream and pink, also striped, check, spotted and streaked.

MR. PETER HAMILTON *enters.*)

J. H.   Hallo, Peter, you got here all right, then ? I thought you'd got lost somewhere.

P. H.   I always go straight to my goal with somnambulistic certainty.

J. H. (*sarcastically*).   Marvellous ! How very Scottish !

P. H. (*pulling a face*).   You always talk such nonsense with your Anglo-Saxon inferiority complex ! However bad my German may be, I can always make my way through.

J. H. (*with a laugh*).   How characteristic of a Scot ! The Scots have always made their way through—the way that leads to England !

P. H.   With all your mockery you have to admit that Scotland is a grand country.

J. H.   Certainly ! As a holiday resort for the Scots !

A. H.   That's enough of your silly jokes, Jean ! Where would the British Empire be, if it weren't for the Scots ?

P. H. (*wiping the perspiration from his brow and neck*). Phew, how hot it is ! (*Pointing to* ANN, *who is about to take a dive from the diving-board.*) They're having a nice time of it. I'm going now to a cubicle to change. (*Goes off. Returns a little later.*) You coming in too ?

A. H. No. I've already been so long in the water, I'm quite tired. After the work comes the rest.

J. H. And as for me, I'm staying here to get browned by the sun. Anyway, I can only swim like a brick.

P. H. See, you Anglo-Saxon ! Come on, I'll teach you the crawl !

J. H. I can do it already. Not much style, but I can get along. But I devitalize so rapidly in the water. Can you also do the side-stroke ?

P. H. Of course ! But usually I stick to the good old breast-stroke. Well, Ann, how pretty you look with all your freckles !

ANN. For shame, Uncle Peter ! Isn't it dreadful ! I shall have them removed by a specialist as soon as I get to London !

P. H. That'll be a great pity. And for every freckle that you get rid of two will come in its place. But joking apart, Ann, they really suit your pretty face. (*To* MALCOLM) Now, you little scamp, have you passed your life-saving test yet ?

MALCOLM (*rather indignantly*). Yes, a long time ago !

P. H. Good ! In view of this assurance I can now safely go and have a swim. (*Mounts the diving-board and dives into the water.*)

Exercise

Verbrechen und Strafe in New York

Louis Banks stand vor Gericht. Obgleich er erst 21 Jahre alt ist und seine Frau nicht mehr als 19 Lenze zählt, scheint der Honigmond der beiden doch schon seit langem vorüber zu sein. Rose, die Gattin, erklärte vor dem Richter, dass ihr Gemahl sie geohrfeigt habe. Louis' Pech wollte es, dass im Verlauf dieser Züchtigung seine Schwiegermutter das Haus betrat, die nun namens ihrer Tochter Klage gegen den Schwiegersohn einreichte. Reizende Zustände, dachte der Richter, und beschloss, ein Exempel zu statuieren.

„ Louis," sagte er väterlich. „ Sie sind ein Nichtsnutz ! "
Louis schwieg betreten.

„ Geben Sie das zu ? "
Louis fuhr fort zu schweigen.

" All right," sagte der Richter.   „ Sie scheinen das einzusehen. Nun bessern Sie sich."

Erstaunt schaute Louis auf. Kam er so glimpflich davon ?

Aber der Richter war noch nicht fertig.

„ Gehen Sie zu Ihrer Frau und küssen Sie sie ! "

Louis errötete, aber fügte sich. In Gegenwart amüsierter Zuschauer erhielt die Gattin ihren Kuss.

„ Und nun," schloss der Richter, „ küssen Sie Ihre Schwiegermutter ! "

Lähmendes Entsetzen prägte sich auf Louis' Zügen aus.

„ Die Schwiegermutter ? " stöhnte er.

„ Jawohl," erwiderte der Richter mit Gemütsruhe. „ Die Schwiegermutter. Strafe muss sein ! "

Und mit einer Miene, als ob er eine Flasche Lebertran auszutrinken gehabt hätte, eilte er und küsste die Schwiegermutter.

Extract

From " Poetry and Truth "

Goethe's First Journey to Sesenheim

The eldest daughter thereupon entered in a most vivacious manner. She asked for Frederika, just as the two others had done. The father declared he had not seen her since all three had gone out. The daughter went out of the door again in search of her sister ; the mother brought us some refreshments, and Weyland made the kind of conversation with the man and his wife that is usually made when acquaintances, meeting after some time, inquire after members of a wide circle and give each other such news as they possess. I listened and now became aware how much I could look forward to from this circle.

The elder daughter again came hurrying into the room, rather worried at not having found her sister. They were now anxious concerning her and spoke crossly about this or that bad habit of hers ; the father alone said quite calmly : " Let her go in peace, she will be back soon ! " At this moment she did indeed come in through the door ; and there went up in this rural firmament a most delightful star. Both daughters still dressed in German style, as it is called, and this national costume, now almost vanished, suited Frederika particularly well. A short, white, full skirt with a flounce, just long enough to show the daintiest little feet as far as the ankles; a close-fitting white bodice and an apron of black taffeta—there she stood on the border-line between country-girl and town-girl. Slim and slightly built she strode as though her neck seemed almost too delicate for the thick blond plaits of her dainty little head. With merry blue eyes she looked clearly about her and the agreeable little snub nose was turned up into the air just as though there were no cares of any kind in the world ; her straw hat hung on her arm and thus did I have the pleasure of seeing her at the very first sight in all her charm and loveliness.

From " The Sorrows of Young Werther "

I have asked your father in a little note to take care of my body. In the churchyard there are two linden-trees, in the corner by the field ; it is there I wish to rest. He can and will do that for his friend. You ask him, too ! I will not ask too much of pious Christians by expecting them to lay their bodies by the side of an unfortunate. Alas, I would that you buried me by the wayside or in the lonely valley, so that priest and Levite might pass by the engraved tombstone and cross themselves, and the Samaritan shed a tear.

Here, Lotte ! I do not shudder to touch the cold, awful cup from which I am to drink the intoxication of Death ! You handed it to me and I do not hesitate. All ! all ! all the desires and hopes of my life are thus fulfilled ! So cold, so stiff, to knock at the door of Death !

It is my wish to be buried in these clothes, Lotte. You have touched and hallowed them ; I have moreover asked your father about it. My soul hovers above the coffin. Nobody is to sort out the contents of my pockets. This pink bow which you wore on your breast when first I saw you in the midst of your children—O kiss them a thousand times and tell them of the fate of their unhappy friend ! The dear ones ! they flock around me ! Alas ! how tightly I clung to you ! could not leave you from the very first moment !—This bow is to be buried with me.

It was on my birthday that you gave it to me ! Ah, I little thought then that my road would lead me to this ! — — Be calm, I beg of you, be calm ! —

They are loaded. — It is striking twelve ! So be it, then ! — Lotte ! . . . Lotte, farewell ! . . . farewell ! "

LESSON XIX

Conversation

A. H. (*with a nervous side-glance at his wife*). Would you care to go for a long-distance journey by air, Malcolm?

MALCOLM. Oh, rather! Where to, Daddy?

A. H. To Stuttgart. (*Looks in some embarrassment at his wife. A paralysing fear is expressed in her features.*)

J. H. A long-distance journey by air! What is the hurry?

P. H. (*calmly*). Now, look, my dear sister-in-law, we have thought it all over and we decided that a journey by air to Stuttgart would be an interesting experience for Malcolm and you.

J. H. Rubbish! You never thought of Malcolm at all, but you knew he'd jump at it. You never thought of me, either—you know how air-sick I get!

A. H. How do you make that out? When have you been up before?

J. H. Never, thank Heaven, but I have no head for heights and, as you know, I am nearly always sea-sick.

P. H. (*soothingly*). But there's nothing to worry about, Jean, nothing at all. You just sit comfortable in the aeroplane and chat, just as though you were in a car. You scarcely notice you are in the air and not on terra firma.

J. H. You can all three fly to Stuttgart—I prefer to go by rail.

A. H. Don't be so old-fashioned, Jean. You're as nervous as a kitten! Come on, be a man—or rather, a brave and resolute Anglo-Saxon, and fly with us. I tell you what: we'll toss for it, shall we? If you win, then we'll all go by train.

J. H. (*with a sigh*). Well, I don't want to be a spoil-sport. All right, then, but I always have bad luck at tossing. Heads!

(A. H. *tosses a coin into the air, and this falls to the ground. J. H. looks at it in consternation.*)

P. H. (*all smiles*). Tails! Well, that settles it. We go by plane.

(At the Air-port.)

J. H.   So that's the famous Tempelhof !   How grand it looks !   Everything so wonderfully done !

P. H.   Yes, the Germans didn't make the same mistake as the French did at Le Bourget, crowding the air-port with military as well as civil aviation machines.   In this way they minimize the risk of crashes.

MALCOLM.   Do you see that cloud of smoke over there, in the middle of the aerodrome ?   Is it one of the hangars on fire ?

P. H.   No, the smoke-cloud is always there and shows the pilots the direction of the wind when they are still some distance away.   That helps them to land properly.

J. H.   What is that man doing there with the flag, in the tower at the end of the field ?

P. H.   That's the starter.   It's his duty to control the order of the departures, just like a traffic policeman at the cross-roads.

(After they have had a meal in the restaurant they are weighed.   Then they get in the waiting machine.   With the crew of four there are fifteen people on board.)

J. H.   I take it that this cotton-wool they gave us as we got in is for putting into our ears.

P. H.   Yes, because the propellers make such a deafening row at the start.

J. H.   *(putting three sea-sick tablets into her mouth).*   What are these paper-bags for ?

A. H.   Haven't the ghost of a notion.

P. H.   The paper-bags are hung up there in case anybody is sea-sick.

J. H.   Good lord !   How horrible !   I am convinced that I shall have to use them.   *(She suddenly looks scared out of her wits.)*   My God, what ever is happening now !   *(Starts to get up.)*

A. H.   *(holding her back and bellowing into her ear).*   Keep still.   The plane is starting—now we're off !

(MALCOLM looks excitedly out of the window while the machine rolls across the field.   A few minutes later they are already in the air.   J. H. does not look out.   She vainly tries to bury herself in the " Neue Illustrierte."   Gradually, however, she becomes calmer and her paper-bag remains untouched.

*Indeed, when the aeroplane lands at the Stuttgart aerodrome
she is positively beaming.*)

Exercise

(a) Peter begriff nicht, was geschah, doch ahnte er, dass
sie in eine sehr schlimme Lage geraten sein mussten. Der
Motor surrte jetzt ganz sonderbar. Armstrong zerschnitt
plötzlich den Riemen, mit dem er Peter an den Benzin-
behälter geschnallt hatte. Im nächsten Augenblick schnallte
er irgendein schweres Paket an Peters Rücken und warf
ihn, noch ehe es Peter zum Bewusstsein kommen konnte,
was mit ihm geschah, aus dem Flugzeug.

Peter schrie entsetzt auf und begann halb bewusstlos in
die Tiefe zu stürzen. Dann wurde er wieder von einem
ganz seltsamen Gefühl ergriffen, als ob in dem Sturz
allmählich ein Stillstand einträte und er von einer eigen-
tümlichen Kraft nach oben gezogen würde. Er blickte
nach oben und sah über seinem Kopf einen riesigen, weissen
Leinwandluftballon.

„ Ein Fallschirm ! “ zuckte es Peter durch den Kopf.
Ringsum hörte er Stimmen, verworrene und entsetzte
Rufe. Er landete auf der Erde, seine Füsse berührten nur
einige Meter vom Meere entfernt das sandige Ufer, und
sofort griffen Arme nach ihm, befreiten ihn von dem
Fallschirm und legten ihn auf den Sand. Für einige
Sekunden musste er die Augen schliessen und hatte ein
wenig das Gefühl, dass er ohnmächtig werden würde.

(b) Das Hauptziel der alten Griechen war, an Leib und
Seele gesund zu sein. Natürlich steckt nichts dahinter,—
wie engherzig Du bist ! Das macht nichts, wir haben endlich
Obdach gefunden. Vergessen Sie nicht, dass man sich an
eine fremde Sprache am besten erinnert, wenn man sie laut
spricht. Meiner Meinung nach haben Sie vollkommen
Unrecht. Jener Junge erinnert mich an meinen jungen
Vetter in den Vereinigten Staaten. Würden Sie mir bitte
Feuer geben—das Benzin in meinem Feuerzeug ist verbraucht. Achten Sie einen Augenblick auf mein Fahrrad,
ich möchte schnell in die Post gehen. Nach zwölf Stunden
konnten die Geschworenen sich noch immer nicht ent-
schliessen. Erweitert das Studium der fremden Sprachen
den Geist ?

Extract

Quotations from " William Tell "

1. War is a frightful, raging terror : it strikes down the flock as well as the shepherd.

2. O how powerful is the urge of the Fatherland ! The alien false world is not for thee. To the Fatherland—grapple thyself to our dear Fatherland, and hold tightly to it with thine whole heart ! Here are the strong roots of thy strength ; there in the alien world thou art alone, a waving reed that any storm can snap.

3. No, a limit there is even to the tyrant's might.   When the oppressed can nowhere find justice, when the burden becomes too great to be borne—he lifts his hands to Heaven with solaced mind and brings down his eternal rights which up there hang as inalienable and indestructible as the stars themselves.   The primordial state of Nature returns, where man stands equal with man : as a last remedy, when all others are of no avail, to him is given the Sword.

4. We will be a united nation of brothers, necessity nor danger will tear us apart.—We will be free as our fathers before us—we will die rather than live in bondage,—we will put our trust in the all-highest God and fear not the might of men.

5. Swiftly steps Death up to man, no respite does he give ; he strikes him down before his journey is half done, he snatches him away in his prime.   Be he prepared or not to go, he is forced to stand before his Judge !

From " the Maid of Orleans "

ARCHBISHOP

Who art thou, most wondrous, holy maid ? What happy land gave thee birth ?   Speak !   Who are the heaven-blessed parents that begot thee ?

JOAN

Worthy sir, Joan is the name they gave me.   I am but a lowly shepherd's daughter from the king's village of

Domremi, which lies in the diocese of Toul, and have watched my father's sheep since I was a child.—And oft and much have I heard tell of the alien island race that came across the sea to make us bondsmen and to force upon us the foreign-born lord who does not love our people, and how they were already in possession of the great city of Paris and had seized the kingdom. Then I called in supplication to the Mother of God that she might turn from us the shame of alien bonds and preserve for us our own native King.

.   .   .   .   .

—And once, as I sat one long night in pious devotion beneath this tree and fought against sleep, there came the Holy Virgin to me, carrying a sword and a flag, yet for the rest dressed as a shepherdess like me, and she spoke to me : " It is I. Rise, Joan. Leave the flock. The Lord calls upon thee to perform another task ! "

LESSON XX

Conversation

Epilogue

In the Drawing-room

(ANN *is sitting reading by the fire in the drawing-room. Lying on the mat is the coal-black spaniel Nicholas.* MRS. JEAN HAMILTON *is sitting at the table working. The silence is broken every now and then by the rattle of the sewing-machine. Suddenly the dog whimpers, and they are dazzled by a flash of lightning which is followed by a sudden clap of thunder.*

ANN *looks at her mother.*)

ANN. Shall we pull out the wireless plug ?

J. H. Yes, and turn the light on, it's dark.

ANN. Do you remember, Mummy, the lovely weeks we spent in Germany ?

J. H. Yes. It often seems like a beautiful dream to me.

ANN. Is Father coming home later to-night ?

J. H. No, he has already finished his work. He will have been detained in his office by the sudden storm. I hope that Malcolm has better weather in Scotland.

ANN. It is always said to rain a lot up there. I saw Peter McLaughlin to-day, he is going up to the University next Tuesday.

J. H. I thought he was only sixteen. What does he want to study ?

ANN. I believe he wants to take Modern Languages German and French.

Exercise

In der Kneipe (iii)

„ Du sagtest etwas von einem Liebhaber ? “

„ Ja, weisst du denn nicht, dass sie seit langer Zeit den Herrn Mönch hat ? “

„ Herr Mönch ? “

,, Menschenskind, du kennst den nicht ? Der arbeitet nicht und doch isst er, vor allem aber er säuft. Muss Geld haben wie Heu. Er ist nur zu schlau, er geht der Magda nicht ins Garn, er heiratet sie nicht.''

,, Wenn das wahr ist, was du sagst, dann wird sich so leicht keiner finden, der sie heiratet.''

,, Wenn es wahr ist ? Rede doch nicht so ein dummes Blech ! Aber bei ihrem hübschen Lärvchen wäre es kein Wunder, wenn gerade ein solider Mann auf sie reinfiele. Du lieber Gott ! Ich möchte sie jetzt da haben und einmal gründlich schütteln, dass ihr Hören und Sehen verginge ! ''

,, Aber sie ist doch Servierfräulein bei Kemmel ? ''

,, Ganz gewiss. Aber glaubst du, dass der sie eingestellt hätte, wenn er von ihren Vorstrafen wüsste ? ''

,, Aber du hast mir eben gesagt, dass doch jeder sie kennt, und Kemmel sollte doch wissen, dass die Katze das Mausen nicht lässt. Aber ich muss fort. (*Legt seinen Zigarettenstummel in den Aschenbecher.*) Frau Wirtin ! Zahlen, bitte ! (*Er steht auf.*) Du entschuldigst mich, Bahlke, ich muss wirklich fort.''

Extract

From the Comedy " Minna von Barnhelm "

Act I, Scene 1

JUST (*after drinking*). Well, I must admit it : good, very good !—Make it yourself, landlord ?

LANDLORD. The Lord forbid ! real Danziger ! genuine Double-Salmon brand !

JUST. You see, landlord, if I could play the hypocrite, I'd play the hypocrite for something like that ! But I can't ; I just have to come out with it—You're a bully all the same, landlord !

LANDLORD. Never in my life has anybody ever said that to me before.—Have another, Mr. Just : all good things go in threes !

JUST. I don't mind if I do ! (*He drinks.*) Good stuff, real good stuff ! But the truth is also good stuff.—Landlord, you're a bully all the same !

LANDLORD. If I were would I stand here and take it like this ?

JUST. Oh yes, because it ain't often a bully has got any guts.

LANDLORD. Won't you have another one, Mr. Just ? A four-twined cord is so much stronger !

JUST. No, too much is too much ! And what good will it do you, landlord ? Until the last drop in the bottle I'd stick to what I said. Bah ! landlord, to think you've got such fine Danziger brandy and such rotten ways !—Turning a man like my master, who has stayed here with you all this time, from whom you have taken so many fine dollars, who has never owed a farthing in his life—just because he ain't paid promptly for the last two or three months, and because he don't spend so much now—to turn him out of his room in his absence !

Act IV, Scene 1

Scene : The Lady's Apartment

(THE LADY, *completely and richly dressed, albeit in excellent taste.*

FRANZISKA. *They get up from the table, which is cleared by a man-servant.*)

FRANZISKA. You surely cannot have had enough, Madam ?

THE LADY. Do you think so, Franziska ? It may be that I was not hungry when I sat down.

FRANZISKA. We had agreed not to mention him during the meal. But we should have also arranged not to think of him either.

THE LADY. Indeed, I have thought of nothing else.

FRANZISKA. So I could see. I started to talk about a hundred various things and you gave the wrong replies to all of them. (*A second man-servant brings coffee.*) Here comes a food with which it is easier to indulge in fancies. Dear, melancholy coffee !

THE LADY. Fancies ? I do not indulge in them. I am merely thinking of the lesson that I am going to teach him. Have you understood me correctly, Franziska ?

FRANZISKA. Oh yes. The best thing would be if he spared us the necessity for it.

THE LADY. You will see that I understand him thoroughly. The man who is refusing me with all my wealth, will contend with the whole world for my hand the moment he hears that I am unhappy and unprovided for.

FRANZISKA (*very solemnly*). And that should give uncommon satisfaction to even the proudest person's self-esteem.

THE LADY. You arbiter of morals! Look here! just now you were taxing me with vanity, now it is self-esteem. But leave me now, Franziska dear. You, too, can do just as you wish with your cavalry sergeant-major.

FRANZISKA. With my sergeant-major?

THE LADY. Yes. A vigorous denial can only mean a complete confirmation.

Some Love-songs of the Middle Ages
Mine

(12th Century : author unknown.)

Thou belongst to me and I to thee,
Of that thou must certain be.
Thou art enlocked
Within my heart,
And none can find the key :
Thou within must ever be.

Come, O come !

(12th Century : author unknown.)

Come, O come, sweeting, to me,
With tender longing I wait for thee !
With tender longing I wait for thee,
Come, O come, sweeting, to me !

Sweet lips, red as the rose,
Come and bring me soft repose !
Come and bring me soft repose,
Sweet lips, red as the rose !

Grass Oracle

—*Walther von der Vogelweide (circa 1200).*

A grass-stalk makes me glad to-day,
" Much bliss is yours," its message ran.
I counted on this stalk of hay
As children stalks are wont to scan,

If me she loved.   Behold and hear :
" She loves, loves not, she loves."   With every try
" She loves me " came the sure reply.
And I am glad—but behind Belief lurks Fear.

Anna of Tharau

—By Simon Dach (1605-1659)

Anna of Tharau doth my life enfold ;
She is my all, my land and my gold.
Anna of Tharau to me once again
Her love has pledged in pleasure and in pain.
Anna of Tharau, my riches, my land !
Thou, O my soul, my brain and my hand !

What though raging storms about us break ?
We shall ride them together for each other's sake.
No sickness, persecution, calamity or pain
Shall prevail to crush or rend us a-twain.
Anna of Tharau, my light and my sun !
My life and yours shall be forever as one.

The palm-tree rises straight and tall,
It bends 'neath the storm, but does not pall.
So shall our love grow mighty and great,
Unbroken by assaults of misfortune and hate.
Anna of Tharau, my riches, my land !
Thou, O my soul, my brain and my hand !

Shouldst thou by evil fate be bann'd
To some distant, desolate and sunless land,
I would follow through forests and over the waves,
Nor fear iron-bars or hostile knaves.
Anna of Tharau, my light and my sun !
My life and yours shall be forever as one !

TEACH YOURSELF BOOKS

GERMAN DICTIONARY

This dictionary provides the user with a comprehensive vocabulary of working German and will be particularly useful to the student working through a basic course, such as *Teach Yourself German*.

With over 20,000 words in both sections, particular emphasis has been placed on current usage, including slang and idiom. The student will also find lists of principal strong and irregular verbs and of commonly used abbreviations, along with a concise German grammar.

Designed to be both practical and convenient, this dictionary provides an invaluable aid to the study and reading of German.

UNITED KINGDOM	95p
AUSTRALIA	$3.05*
NEW ZEALAND	$3.06
CANADA	$3.25

ISBN 0 340 05789 0   *recommended but not obligatory

MORE LANGUAGES FROM TEACH YOURSELF BOOKS

☐	05789 0	**German Dictionary**	£1.25
☐	05788 2	**German** J. Adams	60p
☐	05790 4	**German Grammar** P. G. Wilson	95p
☐	05400 X	**Essential German Grammar** G. Stern and E. F. Bleiler	60p
☐	05156 6	**German, A First** L. Stringer	60p
☐	05783 1	**French** J. Adams and N. Scarlyn Wilson	60p
☐	05785·8	**French Grammar** E. S. Jenkins	75p
☐	05912 5	**French, A First**	75p
☐	05784 X	**French Dictionary**	£1.25
☐	05579 0	**French, Everyday** N. Scarlyn Wilson	95p

All these books are available at your local bookshop or newsagent, or can be ordered direct from the publisher. Just tick the titles you want and fill in the form below.

Prices and availability subject to change without notice.

CORONET BOOKS, P.O. Box 11, Falmouth, Cornwall.

Please send cheque or postal order, and allow the following for postage and packing:

U.K. – One book 22p plus 10p per copy for each additional book ordered, up to a maximum of 82p.

B.F.P.O and EIRE – 22p for the first book plus 10p per copy for the next 6 books, thereafter 4p per book.

OTHER OVERSEAS CUSTOMERS – 30p for the first book and 10p per copy for each additional book.

Name ....

Address ....

....